YMA: AFALLON

LLEUCU ROBERTS

Diolch i Meinir Wyn Edwards yn y Lolfa
am ei chymorth gwerthfawr a'i chyngor doeth bob amser.

Gyda diolch i Rhian Davies o Ysgol y Preseli,
Osian Higham o Ysgol Bro Edern, Ceris James o Ysgol Bro Myrddin
ac Esyllt Maelor am eu sylwadau cadarnhaol.

Argraffiad cyntaf: 2019
© Hawlfraint Lleucu Roberts a'r Lolfa Cyf., 2019

*Mae hawlfraint ar gynnwys y llyfr hwn ac mae'n anghyfreithlon
llungopïo neu atgynhyrchu unrhyw ran ohono trwy unrhyw ddull ac
at unrhyw bwrpas (ar wahân i adolygu) heb gytundeb ysgrifenedig y
cyhoeddwyr ymlaen llaw*

Cynllun y clawr: Tanwen Haf

Rhif Llyfr Rhyngwladol: 978 1 78461 709 7

Ariennir yn rhannol gan Lywodraeth Cymru fel rhan o'i rhaglen
gomisiynu adnoddau addysgu a dysgu Cymraeg a dwyieithog.

Cyhoeddwyd ac argraffwyd yng Nghymru
ar bapur o goedwigoedd cynaliadwy gan
Y Lolfa Cyf., Talybont, Ceredigion SY24 5HE
e-bost ylolfa@ylolfa.com
gwefan www.ylolfa.com
ffôn 01970 832 304
ffacs 01970 832 782

Yn y flwyddyn 2140, dros ganrif wedi'r bomiau niwclear a laddodd y rhan fwyaf o boblogaeth y byd, teithiodd chwech o bobl o ynys yng Nghylch yr Arctig i Gymru. Yn eu plith, roedd Cai a Gwawr, a oedd wedi astudio Dyddiadur Mam Un, y Gymraes a gadwodd y cof am henwlad Cymru yn fyw ar yr ynys oer. Hi hefyd a gadwodd y Gymraeg yn fyw ar wefusau cenedlaethau o'r Ynyswyr a oroesodd wedi'r Diwedd Mawr.

Ar ôl i'r criw ddychwelyd i Gymru, daeth yn amlwg na chafodd y boblogaeth gyfan ei lladd gan y bomiau. Drwy ryw ryfedd wyrth, llwyddodd llwyth y Ni i oroesi o drwch blewyn. Ond doedd fawr o lewyrch arnynt, dan orthrwm eu hunben hunanol a babïaidd.

Gyda chymorth yr Ynyswyr, daeth y Ni o hyd i'r hadau a fyddai'n sicrhau dyfodol i'r llwyth, a dysgu arferion hela gan bobl yr ynys oer. Blodeuodd cyfeillgarwch, a chariad yn wir, rhwng y ddwy garfan yn Aberystwyth.

Ond roedd hynny cyn i'r aderyn du lanio a chipio Anil, un o drigolion y dref, yn ei grombil mawr llawn Chwilod, cyn hedfan ymaith i ben draw'r byd lle mae'r meirw'n byw.

Flwyddyn yn ddiweddarach, mae'r holl waith caled yn dechrau talu ar ei ganfed, ond mae'r cof am yr aderyn du yn dal i fwrw ei gysgod dros yr Ynyswyr a'r Ni fel ei gilydd.

1

CHWYRNODD Y BWYSTFIL ac ysgwyd ei ben. Tasgodd ewyn gwyn o'i safn yn hanner cylch o'i flaen. Trodd ei ben i wynebu'r garreg roedd Gwawr yn cyrcydu y tu ôl iddi. Am eiliad, daliodd ei hun yn syllu i lygaid yr anifail, oedd fel pyllau dyfnion tywyll.

Ti neu fi, gofynnai'r llygaid. Ti neu fi?

Ni feiddiai Gwawr anadlu rhag ei yrru eto yn ôl y ffordd y daeth. Ond roedd yr ofn yn llygaid y creadur wedi pylu rhywfaint ar y cyffro a redai drwy wythiennau Gwawr.

'Nawr!' bloeddiodd Olaf o ben y clawdd, hanner canllath oddi wrthi, cyn chwibanu ar y cŵn a oedd bellach bron wrth garnau'r anifail, a'u safnau'n llydan.

Llaciodd Gwawr ei gafael ar y tennyn a gadwai'r gât fawr bren ar agor a llamu i gau'r anifail yn y lloc. Pefriai chwys dros ei gefn llydan, browngoch, wedi'r rhedeg hir. Gweryrodd wrth droi yn ei unfan a chodi llwch, gan droelli'n fwyfwy gorffwyll wrth weld nad oedd dihangfa. Clymodd Gwawr y rhaff yn dynn am y gât a phostyn y ffens wiail. Gobeithiai y daliai'n gyfan yn erbyn hyrddiadau'r anifail.

Ceffyl, meddyliodd Gwawr. Dyma geffyl byw. O fewn cyffwrdd, pe bai'n mentro estyn ei llaw at ei fwng. Fentrodd hi ddim, er hynny. Digon oedd rhyfeddu at gryfder y cyhyrau yn ystlys y ceffyl, uwchben y coesau main. A'r llygaid yna:

gallai Gwawr dyngu bod doethineb y tu hwnt i reddf anifail yn perthyn i'w dyfnder.

Ers dwy awr, roedden nhw wedi bod ar drywydd y ceffyl. Gre o geffylau i ddechrau, yn pori ar lawr y dyffryn, lle roedden nhw wedi bod ers rhai dyddiau, a Freyja a Gwawr wedi bod yn cadw llygad yn y glaswellt tal ers yr oriau mân, cyn galw Olaf a Wotsi a'r cŵn i'w llefydd â chwibanau o waelod y dyffryn, hanner milltir i ffwrdd.

Yna, roedd y re wedi gwasgaru pan sylwodd y ceffylau ar y cŵn yn llamu i'w cyfeiriad dros y rhostir. Erbyn hynny roedd Gwawr wedi cylchu i'w lle wrth y lloc yn y gilfach lle roedd y dyffryn yn culhau rhwng craig ac afon. Wrth ddisgyn i'w chwrcwd ger y garreg, gobeithiai â'i henaid y byddai'r helfa'n llwyddiant. Ddwywaith eisoes, roedden nhw wedi gorfod rhoi'r gorau iddi wrth i'r ceffylau lwyddo i osgoi cael eu cau yn y lloc. Ddwywaith roedden nhw wedi ei hymestyn fel na allai'r anifeiliaid ddianc heb arafu i fynd drwy'r afon. Ddwywaith bu'n rhaid mynd adre'n waglaw, a throi'n ôl at y gwaith cynllunio, ac aros wedyn i'r ceffylau ddod yn ôl i gyffiniau blaen y dyffryn i bori.

Doedden nhw ddim yn greaduriaid twp. Gwyddai Freyja ac Olaf, y ddau brif gynllunydd, mai dyma oedd eu gobaith olaf o ddal ceffyl cyn i'r re fwrw ymlaen i chwilio am borfeydd diogelach.

'O'r diwedd!' bloeddiodd Olaf wrth nesu, a'r cŵn fel pethau ynfyd yn neidio rhedeg wrth ei ochr. 'Un ceffyl yn y lloc.'

Clywodd Gwawr chwiban Freyja o'r cyfeiriad arall, a'i

galwadau wedyn wrth iddi ddod o fewn clyw wrth iddyn nhw wylio'r ffensys.

Doedden nhw ddim yn gryf iawn, dim byd tebyg i'r hen ffensys llechi – crawiau fel roedd yr hen Gymry gogleddol yn eu galw nhw – roedd Gwenda ac Olaf wedi bod yn eu codi o hen lechi to i greu llociau i'r cŵn, er mai waliau brics oedd y rhan fwyaf o'u waliau.

Roedd hi wedi cymryd misoedd i argyhoeddi'r Ni fod yna werth mewn hela cŵn byw, yn ogystal â'u lladd i gael cig. Cymerodd amser i egluro egwyddor ffermio, dal anifeiliaid byw er mwyn iddyn nhw fagu rhagor: creu haid, ffermaid, o gŵn at y dyfodol yn lle bwyta dau yn syth.

A phedwar mis yn ddiweddarach, pan ddaeth Freyja a Wotsi yn eu hôl i'r dref yn cario carcas ceffyl a saethwyd ganddyn nhw ddeuddeg milltir i'r de-ddwyrain, fe fu'r Ni a'r Ynyswyr yn dathlu ac yn gwledda am dridiau.

Doedd 'run o'r Ni, heb sôn am yr Ynyswyr, wedi gweld ceffyl o'r blaen. Ond roedd yr Ynyswyr o leia'n gwybod beth oedd ceffyl, o luniau mewn llyfrau. Doedd dim diwedd i'r pethau y gallen nhw eu gwneud gyda cheffylau, meddai'r Ynyswyr. Eu lladd i'w bwyta, meddai'r Ni, beth arall sydd eisiau? Na, na, meddai'r Ynyswyr, mae posib eu defnyddio nhw i weithio, i deithio. Pwy weithio wnaiff anifail, gofynnodd y Ni yn grac braidd. Pwy deithio? Bwyd sydd ei eisiau, bwyd yn ein boliau.

Cymerodd rai wythnosau eto – ar ôl eu darbwyllo ynglŷn â gwerth magu cŵn – i'w darbwyllo ynglŷn â gwerth magu ceffylau.

A dyma nhw o'r diwedd wedi llwyddo i ddal un! Camodd Gwawr yn ôl oddi wrth y ffens wrth i'r anifail gicio'i goesau ôl i'r awyr yn ffyrnig.

'Cam un wedi gorffen,' meddai Olaf. 'Cam dau i ddeg nesa.'

Gwyddai'r criw mai hebrwng y ceffyl yn ôl i Aberystwyth oedd y gamp anoddaf oll. Er mai canolbwyntio ar yr hela a'r dal roedd y cynlluniau wedi'i wneud fwyaf, dyma oedd yn mynd i brofi nerth ac amynedd pob un ohonyn nhw – Gwawr, Olaf, Freyja, a'r Ni, sef Wotsi, Pega a Miff.

Daliai pob un ohonyn nhw waywffon bren a bachyn heb ei finiogi arni, i wthio'r creadur i'r cyfeiriad y mynnen nhw iddo fynd. Ar yr un pryd llwyddodd Olaf i daflu rhaff lasŵ am ei ben a dal ei afael yn dynn i dynnu pen yr anifail yn agosach, wrth i Gwawr roi lasŵ arall am ei ben, fel bod modd ei ddal o ddau gyfeiriad. Rhwng y chwech ohonyn nhw – dau i dynnu'r anifail, a phedwar i'w brocio â'u picelli – gobeithient weld Aberystwyth cyn machlud haul.

Yno, roedd yr Ynyswyr a'r Ni wedi addasu un o'r adeiladau isel ar gyfer yr anifail, gyda waliau uchel na fyddai'n gallu neidio drostyn nhw, a digon o wair sych.

'A'r hyn sy'n ddoniol,' meddai Olaf wrth geisio tynnu'r anifail, 'yw bod raid dod 'nôl i neud yr un peth eto cyn bo hir.'

Cyfarthai dau gi du a gwyn wrth garnau'r anifail, gan fygwth ei gnoi.

'Pam?' holodd Wotsi, gan roi pwniad rhy galed i'r ceffyl â'i bicell. Gallai Gwawr weld ei fod e'n mwynhau'r gwaith o gadw rheolaeth ar yr anifail.

'Wel, dyw un ceffyl fawr o werth i neb,' meddai Olaf.

'Chi sei,' edliwiodd Wotsi. 'Chi sei isie cadw ceffyl byw. Y Ni isie byta ceffyl.'

Ddim pob Niad, meddyliodd Gwawr. Roedd sawl un o'r Ni yn gallu gweld tipyn pellach na'u trwynau. Yn wahanol i hwn.

'Digon gwir, ond ma isie mwy nag un ceffyl byw, yn does?' ymdrechodd Olaf.

'Oes?' meddai Wotsi ar ôl rhai eiliadau o feddwl a gostiai'n ddrud iddo yn ôl yr olwg o straen ar ei wyneb.

'Oes,' meddai Gwawr. 'Caseg tro nesa.' Rhythodd Wotsi arni mewn annealltwriaeth. 'Hi ceffyl.'

'Os wyt ti isie cyfle i gael ebol,' eglurodd Olaf, a'i amynedd yn dechrau pallu.

Crychodd Wotsi ei dalcen. Yna, ymhen eiliadau wedyn, gwawriodd deall ar ei wyneb dwl.

'Oooo!' meddai. 'Laic cis?'

'Ie, fel y cŵn.'

'Y ffe… ffe… be chi'n galw.'

'Ffermio,' meddai Olaf. 'Ie, 'na fe. Tyfu bwyd, tyfu anifeiliaid, magu, cynhyrchu mwy.'

Ysgydwodd Wotsi ei ben, yn union fel pe bai'n gwaredu at syniadau gwirion y bobl yma oedd wedi glanio i ganol ei fyd flwyddyn yn ôl, y bobl roedd e wedi bod yn byw yn eu canol nhw ers hynny, nad oedd e prin wedi dechrau deall eu ffyrdd nhw. Rhyw hen syniadau dwl am gadw pethau yn lle eu bwyta, yn y gobaith o greu mwy. Ac yn y cyfamser, roedd ei fol yn gweiddi am gael rhywbeth ynddo NAWR.

Ond wrth i'r cŵn roedd Freyja wedi eu dal ddechrau cael cŵn bach, ac wrth i'r cynhaea grawn a ffrwythau lenwi eu storfeydd, roedd hyd yn oed Wotsi wedi dechrau sylweddoli bod rhywbeth yn y busnes ffermio 'ma.

Prociodd y ceffyl, yn llai egr y tro yma: byddai gofyn bod yn ofalus ohono os oedd e'n mynd i weithio yn y caeau i ysgafnhau eu beichiau nhw, ac os oedd e'n mynd i roi ebol i gaseg.

Gwyliodd Wotsi gefn Freyja a afaelai yn y tennyn ar yr ochr arall i'r ceffyl gyferbyn ag Olaf. Cefn cyhyrog, siapus, brown, y byddai Wotsi'n dwli cael cyfle i redeg ei fysedd drosto.

*

Camodd y chwech yn fwy ebrwydd i lawr ar hyd y llechwedd o'r grib uwchben dyffryn arall, lle roedd afon Ystwyth yn disgleirio oddi tanyn nhw, nes dod at dir eithinog a arafodd eu camau. Ceisiodd Olaf eu harwain o gwmpas y twmpathau diddiwedd o felyn a wnâi i waelod y llechwedd yn gyfan edrych fel pe bai ar dân.

Roedd y ceffyl wedi tawelu rhywfaint ac yn barotach i dderbyn ei dynged a cherdded yn weddol ddidrafferth i'r cyfeiriad roedden nhw'n dymuno iddo fynd. Ar ôl croesi nant fach tuag at waelod y dyffryn, daethant at wastadedd go agored hen gae mawr rhwng cloddiau, yn llawn o flodau gwyllt.

Bron na theimlai Gwawr ei llygaid yn dyfrio gan mor hardd oedd yr olygfa. Ceisiodd gofio enwau'r blodau, fel roedd Gwenda wedi eu dysgu, o luniau mewn llyfrau. Doedd dim yn debyg iddyn nhw ar yr Ynys: blodau menyn, blodyn bach pinc bregus y goesgoch, cwpanau gwyn blodyn y gwynt, sanau'r gwcw, neu glychau'r gog, yr erwain lliw hufen fel les drwy'r cyfan, a phig yr aran piws; glasbinc hyfryd llaeth y gaseg a'r pabi melyn Cymreig...

'Os oedd angen prawf erioed fod y ddaear yn iach bellach...' dechreuodd Freyja ac estyn ei dwylo i gofleidio'r olygfa.

'Dewch,' meddai Olaf. 'Does dim amser i edrych ar flodau.'

'Pob lliw yn y byd. 'Swn i wrth 'y modd yn deifio i'w canol nhw,' meddai Gwawr.

'A chreu stomp o'r cyfan. Dyna arweiniodd at y Diwedd Mawr,' wfftiodd Olaf. 'Dyn yn ymyrryd a chreu annibendod.'

'Os bydda i byth isie pregeth, fe ofynna i am un,' meddai Gwawr yn swta.

'Ti tu hwnt i bregeth, ferch,' atebodd Olaf. 'Yn bell, bell tu hwnt i bregeth.'

Anelodd Gwawr ei phicell i'w gyfeiriad a gwnaeth Olaf wyneb drygionus arni. Gadawodd Gwawr iddo droi ei ben cyn iddi fentro gadael i'r wên y tu mewn iddi oferu i'w gwefusau.

Yna, haliodd ar dennyn y ceffyl i wneud iddo godi ei ben o'r borfa, ac ailgychwynnodd y fintai fach ar eu taith ar draws y dyffryn.

2

GWEITHIO AR Y morgloddiau roedd Cai. Ers y stormydd mawr ddeufis ynghynt, roedd yr Ynyswyr wedi bod wrthi'n cario troleidiau o gerrig a phridd at y fan lle'r arferai'r prom fod.

Bellach, er mwyn atal y môr rhag llifo drwy'r strydoedd adeg y stormydd gwaethaf, rhaid oedd codi lefel y prom, creu gwarchae i atal y gwaethaf o'r llanw uchel rhag bylchu drwy goncrid mâl yr hen ffordd a'r pafin rhwng y dref a'r môr, a chynnig rhywfaint o amddiffynfa i'w cartrefi yn strydoedd canol y dref. Roedd y tai ar y stryd fawr bron i gyd wedi'u hadfer ddigon i fod yn gartrefi i'r Ynyswyr a'r Ni. Hyd yn oed ar anterth y storm fwyaf, roedd y toeau wedi dal dŵr, a chadw poblogaeth fechan y dref yn sych. Er bod y môr wedi llifo ar hyd y stryd rhwng y tai, roedden nhw wedi arbed eu hunain rhag y gwaethaf drwy lenwi sachau a wnaed o hen blastig â thywod gan fod y ddwy storm cyn hynny wedi dangos y gallai'r môr gyrraedd hyd at ganol Aberystwyth. Syniad Cai oedd llenwi'r sachau rhag ofn, er bod Olaf wedi pw-pwian, a thyngu na fyddai unrhyw fygythiad i'w tai.

Gwenodd Cai wrtho'i hun wrth deimlo ymchwydd o falchder iddo allu rhagweld y peryg. Cododd ei ben at yr haul. Roedd heddiw'n ddiwrnod da. Ers chwech o'r gloch y bore, roedd e wedi bod yn llenwi'r drol â cherrig o hen dai yr ochr arall i'r bont, ac wedi cludo tri llwyth ar hyd strydoedd anwastad y dref. Diolchai am y gwaith roedd y Ni wedi bod yn ei wneud ar y ffyrdd, yn ceisio'u cael mor wastad â phosib drwy glirio concrid ac ailosod darnau ohono, yn gymysg â'r clai gludiog roedden nhw wedi'i gymysgu o waelod yr afon. Nid oedd unrhyw beryg y dymchwelai'r drol bellach, yn wahanol i'r troeon cyntaf y buon nhw'n cario cerrig i'r dref.

Gwaith corfforol oedd y peth, meddai Cai wrtho'i hun. Cymerodd fis neu ddau ar ôl i Anil ddiflannu iddo sylweddoli hynny, ond roedd yr hen air yn wir: corff iach, meddwl iach. Neu o leia, corff prysur, meddwl gwag.

Gwrthododd Cai adael i'w feddwl dreiglo'n ôl i'r wythnosau cyntaf wedi i Anil fynd. Meddyliau tywyll oedden nhw, a doedd e ddim am gael ei dynnu i lawr i'r tywyllwch eto.

Gwenai'r haul mor danbaid nes gwneud iddo deimlo y byddai'n ei ddigio drwy droi at y tywyllwch yn ei ben. Yn wir, roedd e wedi bod yn danbaid ers dechrau'r bore, nes ei fod wedi gorfod gorchuddio'i gorff â chrys o'r hen amser a oedd wedi teneuo bron yn ddim. Ond roedd hi'n beryg peidio â gorchuddio'r corff mewn haul mor llachar. Cofiai losgi'n ddrwg bythefnos ynghynt ar ôl bod yn gweithio ar y morglawdd, nes bod ei gorff yn gwingo gyda phob symudiad. Rhoesai Gwawr figwyn o lan yr afon ar hyd ei gefn i wneud iddo deimlo'n well, a chiliodd y gwres yn raddol o dan y flanced o fwsog gwlyb bendithiol.

Y bore hwnnw ar ôl iddo losgi yn yr haul, meddyliodd,

oedd y bore cyntaf iddo beidio â dihuno'n meddwl ble roedd
Anil. Er iddo wneud hynny wedyn, roedd poen y llosgi wedi
tynnu ei feddwl am un bore oddi ar y cwestiwn a oedd wedi
bod yn bwyta drwy ei ymennydd ers blwyddyn – 'I ble'r aeth
e?' A'r cwestiwn arall a oedd wedi tyfu gyda'r wythnosau a'r
misoedd – 'Ydi e'n dal yn fyw?'

Tynnodd Cai y gwregys trwm a glymai'r drol ddwy olwyn
wrth ei ysgwyddau a'i ganol. Yna, anelodd am y garreg drymaf
yn y drol i'w chodi, er mwyn gyrru'r cwestiynau o'i ben. Pan
fyddai'r drol yn wag, câi roi'r gorau iddi am y dydd, a mynd
i gael tamaid o fwyd wrth y tân ar y stryd fawr, lle roedden
nhw i gyd yn cyfarfod ar ôl eu diwrnod gwaith i swpera a
chyfnewid hanesion y dydd.

Braf oedd gallu sgwrsio gyda'r Ni erbyn hyn yn weddol
ddilyffethair, wrth i'w Cymraeg wella, ac wrth i'r Ynyswyr
ddod i ddeall y geiriau Saesneg neu debyg-i-Saesneg oedd
yn britho iaith y Ni. Daeth Cai i ddysgu am rai o'u harferion,
a'u gallu anghyffredin i wybod am bob dim bwytadwy a
oedd gan natur i'w gynnig iddyn nhw, a phob planhigyn a
allai gynnig gwellhad rhag gwahanol afiechydon.

Trueni na fyddai planhigyn i wella'i galon friw, meddyliodd.
Ond cyn iddo adael iddo'i hun ddisgyn i bydew arall o
ddiflastod, clywodd waedd o gyfeiriad y bont, a chwibaniad
chwech o helwyr.

Maen nhw'n ôl, meddyliodd. A chododd ei galon wrth
feddwl y câi wrando ar Gwawr yn rhestru gorchestion y dydd.
Am fisoedd, doedd pob ymdrech ar ei rhan i godi ei galon heb
wneud dim ond ei ddiflasu fwyfwy, ond yn ddiweddar, roedd

e wedi dod i werthfawrogi cwmni ei ffrind gorau unwaith eto, a diolchai nad oedd Gwawr wedi rhoi'r ffidil yn y to a throi ei chefn arno.

Dilynodd rai o'r Ni a oedd wedi clywed y chwibanu tuag at goedwig Plascrug lle roedd llociau'r cŵn. Wrth groesi'r fan lle arferai'r hen orsaf sefyll, gwelodd y criw yn nesu o gyfeiriad hen bont y brotest, yn cael eu harwain gan anghenfil brown a fygythiai dorri'n rhydd o afael y chwech. Gwthiai'r helwyr eu picelli i'w ystlys i gadw'r anifail ar y trywydd cywir, ond roedd hi'n amlwg fod gweld rhagor o bobl wedi ei ddychryn, nes gwneud iddo chwythu cymylau gwyn o stêm o'i ffroenau.

'Dewch, gwnewch le iddo fe!' gwaeddodd Cai ar y Ni a oedd yn ymgasglu i gael cipolwg agosach ar yr anifail.

Rhaid iddo gyfaddef, roedd ei chwilfrydedd yntau'n gwneud iddo rythu i gyfeiriad y creadur rhyfedd nas gwelsai ond mewn lluniau, mewn hen lyfrau ar yr Ynys, ac yn y llyfrgell ar y bryn. Oedd, roedd e wedi gweld carcas y ceffyl cyntaf, ac wedi'i fwyta'n awchus a chael blas ar y cig, ond doedd e ddim eto wedi bod yn rhan o'r fintai a fu'n ceisio hela ceffyl byw.

'Ceffyl!' clywodd leisiau'n galw. Gair newydd i'r Ni. 'Ceffyl! Si! Ceffyl!'

Tynnodd Olaf ar benffrwyn y ceffyl a gwthiodd Gwawr ei phicell i'w ben-ôl i wneud iddo droi i mewn am Blascrug. Yno, yn ddigon pell o lociau'r cŵn, roedd cartref newydd y ceffyl yn aros amdano. Carchar carreg, lle roedd preseb o wellt a chafn o ddŵr wedi'u paratoi ar ei gyfer. Cartref gyntaf, cysgod, bwyd a dŵr. A llonydd a thamaid o dawelwch ar ôl ei siwrne frawychus. Dôi'r dofi wedyn.

Arhosodd Cai i Gwawr ddychwelyd ar ôl gwneud yn siŵr fod yr anfail wedi'i gau'n ddiogel yn ei stabl.

'Llwyddiant,' gwenodd arni.

'Llwyddiant,' gwenodd hithau'n ôl, yn falch o weld ei wên. 'Dy dro di fory.'

Criw o chwech arall fyddai'n cael yr orchwyl o ddilyn Freyja ar y daith at Gors Caron fory, i ddal caseg yn gwmni i'r ceffyl yn y stabl. Rhaid oedd rhoi cynnig arni cyn i'r ceffylau roi'r gorau'n gyfan gwbl i'r borfa ar Gors Caron a throi am yr ucheldir tuag at rostiroedd eang a choetiroedd conifferaidd Abergwesyn, neu i'r gogledd-orllewin dros anialdir agored mynydd-dir y canolbarth tuag at olion hen gronfeydd dŵr Claerwen ac Elan, lle byddai'n ddiawledig o anodd dod o hyd iddyn nhw.

*

Cnodd Gwawr ei choes ci yn awchus. Roedd deuddeg awr ers iddi fwyta, y bore hwnnw cyn y daith. Teimlai ei hegni'n dychwelyd wrth i'w fraster cynnes wasgu o'r cnawd o dan ei dannedd. Gwyddai fod ei gwefusau'n disgleirio gan saim, ond doedd dim ots ganddi: roedd hi wedi haeddu ei swper.

'Isie saws!' cwynodd Bwmbwm yn uchel, a'i ailadrodd i wneud yn siŵr fod pawb yn clywed. 'Saws eirin! Isie saws!'

Estynnodd Gwenda y potyn saws iddo gyda 'Hwde'

diserch. Gallai Bwmbwm fod yn dreth ar amynedd y rhan fwyaf ohonyn nhw, yn enwedig yr Ynyswyr nad oedden nhw wedi'i weld fel dim byd ond bwli di-wardd o'r cychwyn. Bu'n anodd i'r Ni feddwl amdano'n wahanol, ar ôl treulio cymaint o amser yn ufuddhau i'w holl orchmynion rhag ennyn ei lid, cyn iddo gael ei ddiorseddu gan yr Ynyswyr – neu gan y tân a ddinistriodd ei blas, yn agosach ati, flwyddyn ynghynt.

'Gei di ddod gyda ni fory,' meddai Gwenda wrth i Bwmbwm ddefnyddio'i fysedd i daenu'r saws o'r potyn ar hyd ei gig. 'Neith les i ti neud tamed bach o waith.'

'Fi? Go hela?' Llenwodd llygaid Bwmbwm ag ofn. 'Is no we,' meddai'n bendant. 'Is no we is mi hela.'

'Falle dysgi di rwbeth,' gwatwarodd Olaf.

Pwdodd Bwmbwm, heb gelu dim ar y ffaith ei fod e'n pwdu. Cododd ar ei draed a'i ystum yn bwdlyd, a chilio o'r neilltu gan blethu ei freichiau, yn bictiwr o'r cyn-unben cwympiedig pwdusaf a fu erioed.

Estynnodd Gwawr ddarn o gig i Bwmbwm: 'Dere nawr, Bwmbwm. Ti byth yn gwbod, falle gei di hwyl arni.'

Bachodd Bwmbwm y cig o'i llaw yn anniolchgar a'i roi yn ei geg ar unwaith cyn i Gwawr newid ei meddwl. Er bod llond llaw o blant yn byw yn y dref, un babi oedd yno. Ac roedd hwnnw yng nghyffiniau ei ddeugain oed.

'Pob lwc fory,' meddai Gwawr wrth Cai. Byddai angen llond crochan o lwc a llond trol o amynedd ar ei ben i allu goddef presenoldeb Bwmbwm drwy ddiwrnod o hela.

Llyncodd Gwawr weddill ei gwin sgawen, a phlygu ei gwar yn ôl i amsugno gweddill yr haul cyn iddo ddiflannu i'r môr yr ochr draw i'r tai. Anadlodd yn ddwfn, gan bleser, nid o ddiflastod.

Estynnodd ei braich i afael yn llaw ei ffrind gorau.

'Blwyddyn,' meddai Cai.

'Ie,' meddai Gwawr, a gwasgu ei law.

3

CLUSTFEINIODD MIRA WRTH ddrws caban y caethion. Heblaw sŵn tylluan draw o gyfeiriad y coed, nid oedd smic i'w glywed. Symudodd cwmwl oddi ar wyneb y lleuad a gwneud iddi oedi am eiliad: teimlai'n weladwy iawn yn y lledwyll, ond gwyddai ar yr un pryd ei bod hi'n bur debyg fod pob caethwas yn cysgu'n drwm ar ôl llafurio yn eu cwman yn y caeau drwy'r dydd yn yr haul didostur.

Pawb ynghwsg ond Anil, gobeithiai Mira. Trawodd y curiad cyfarwydd: tap tap tap-tap-tap mor ysgafn nes gallu gwneud i rywun amau mai brigau oedd yn crafu'r pren yn yr awel dyner.

Oedodd Mira, a gwrando. Ymhen eiliad, clywodd sŵn siffrwd symud y tu mewn i'r cwt pren.

Gweddïodd nad oedd neb o'r caethion eraill wedi clywed. Gwyddai fod yna bris i'w dalu am gael ei dal, ac nid hi fyddai'n ei dalu chwaith, ond Anil. Nid hi oedd yr unig fam a ddôi â thamaid i fab neu ferch yng ngwersyll y caethion, ond ni allai fentro cael ei hadnabod gan yr un o'r mamau eraill. Diolchai fod y Chwilod a warchodai'r gât allanol wedi hen arfer estyn llaw am ddogn o'r bwyd fel llwgrwobr am esgus peidio â sylwi, heb fynd i syllu'n rhy agos ar ei hwyneb o dan gwfl ei mantell drom.

Eisoes, roedd Anil wedi talu'n ddrud am ei ffolineb mawr. Byth ers iddi lwyddo i ddwyn perswâd ar y Llyw i'w ddwyn ati flwyddyn gyfan yn ôl, fe gariodd Mira'r wybodaeth yn ei chalon mai ei bai hi oedd pob dim a ddigwyddodd i'w phlentyn.

Cystwyodd ei hun eto am y milfed tro am fod mor hunanol. Pe na bai hi wedi ymroi i'w hysfa i weld ei phlentyn, a gofyn i'r Llyw ei gipio, pe bai hi wedi pwyllo, wedi rhagweld na fyddai croeso i rywun fel Anil yn Afallon, fyddai Anil ddim yn gaethwas. Cafodd ei asesu'n esgymun gan uwch-wyddonwyr y Llyw a'i alltudio i fyw gyda'r caethion o fewn dim i gyrraedd.

Agorodd y drws yn ddistaw bach, a chamodd Anil allan ati. Caeodd y drws ar ei ôl a cherdded cam neu ddau i gysgod y goeden er mwyn siarad â hi. Roedd dyddiau lawer ers iddi gael cyfle i ddod i'w weld. Cofleidiodd Mira ei phlentyn, a chael trafferth i dynnu'n rhydd drachefn. Teimlodd y dagrau cyfarwydd yn gwlitho ei llygaid.

'Mam,' meddai Anil i'w chysuro. 'Mam, na. No isie...'

'Sori, sori...' dechreuodd Mira. A chododd Anil ei fys o flaen ei gwefus fel y gwnaethai o'r blaen droeon dros y flwyddyn a aeth heibio, i'w distewi. Hi oedd ei fam, ceryddai'r bys. Ar wahân i un person arall yn y byd i gyd, doedd gan Anil neb heblaw amdani hi.

Estynnodd Mira'r lliain yn llawn o gaws dafad, a thafelli o gig carw wedi'i gochi, a chwlffyn o fara haidd wedi'i dorri'n ddau a'i orchuddio â menyn gafr, y gorau o laethdy'r Llyw.

'Diolch, Mam,' dechreuodd Anil, cyn i Mira ei siarsio i'w

fwyta ar unwaith rhag i'r caethion eraill fynnu tamaid. Roedd hi'n adnabod ei phlentyn yn ddigon da i wybod mai ildio i garedigrwydd ei galon a wnâi Anil, ac ni châi ddiolch gan y lleill am wneud chwaith.

Eisteddodd Anil wrth fôn y goeden, a phlygodd Mira i eistedd yn ei ymyl. Dechreuodd Anil fwyta ar ôl cynnig darn i'w fam. Ysgydwodd Mira ei phen a dechrau sôn am y daith newydd roedd y Llyw wedi'i threfnu ar gyfer ei filwyr. Gwyddai Anil eisoes wrth gwrs: onid oedd sôn wedi bod ers wythnosau amdani, a'r paratoadau lu ar ei chyfer yn mynd ag amser ac adnoddau'r gweithwyr cyffredin yn y drefedigaeth, er nad oedd fawr ddim i'r caethion ei gyfrannu i'r fenter. Bwydo'r boblogaeth oedd eu gwaith nhw, palu, plannu, hau, medi, casglu, cynaeafu, a chlirio a phrosesu eu gwastraff, yn sbwriel a charthion – mil o orchwylion cadw corff ac enaid y boblogaeth ynghyd.

Taith i chwilio am ddeunydd atgenhedlu oedd hon i fod eto, amrywiadau o'r tu allan i boblogaeth Afallon. Roedd llygaid y Llyw unwaith eto ar y llwyth a ddarganfu ei wyddonwyr ar ymylon gorllewinol cyfandir Ewrop. Bu teithiau i fannau eraill yn y byd – Asia, De America – a daeth un neu ddau o sbesimenau o'r llefydd hynny. Ond roedd hi'n amlwg fod gan y Llyw deimladau dyfnion tuag at Gymru gan mai dyma'r drydedd daith y byddai'n ei gwneud yno. Mira oedd wrth wraidd y teimladau hynny, gwyddai hithau'n iawn. Trueni na fyddai ei phlentyn yr un mor annwyl ganddo.

Ers wythnosau, ers clywed am y daith nesaf, bu Mira'n

pwyso ar y Llyw i fynd ag Anil yn ôl ar y daith honno. Bu'n ymbil arno, a chael dim ond cefn ei law am wneud. A heddiw, daeth y syniad iddi fod yna ffordd arall o wneud Anil yn hapusach ei fyd.

Soniodd Mira wrth Anil ei bod hi'n ceisio perswadio'r Llyw i gipio Cai, fel y câi Anil annwyl gwmni ei gariad yn y fan hon. Gwyddai nad oedd ganddi fawr o obaith o lwyddo, ond roedd yn rhaid iddi roi cynnig arni. Wedi'r cyfan, roedd hi wedi llwyddo un waith i ddwyn perswâd arno i wneud fel roedd hi eisiau. Rhaid i Mira allu credu y gallai wneud hynny am yr eilwaith.

'Na, Mam!' meddai Anil yn siarp wrthi cyn iddi orffen ei brawddeg.

Eglurodd nad oedd am i Cai orfod dioddef yn y fan hon. Gwyddai'n iawn nad caethwas fyddai Cai yma, yn ôl pob tebyg, ond roedd sawl ffordd o ddioddef. Gwyddai na fyddai Cai'n hapus ynghanol dieithriaid, ymhell oddi wrth Gwawr a'r lleill, ac ni châi fawr o gwmni Anil, os o gwbl, hyd yn oed pe bai ei fam yn llwyddo i sicrhau ei fod e'n cael ei gipio. Doedd dinasyddion ddim i fod i gymysgu gyda chaethion.

Suddodd calon Mira wrth iddi wawrio arni fod Anil yn llygad ei le. A beth bynnag, benywod yn unig roedd Chwilod y Llyw yn eu cipio ar eu teithiau. Dyna pam roedd Anil dan glo: am i Mira fod mor ddwl â chredu y gallai dwyllo'r Llyw i gipio Anil, a oedd yn ferch ac yn fachgen, drwy ddweud y gallai gyfrannu at y cynllun wyau. Ei bwriad wedyn oedd gweithio ar y Llyw, ei gael i weld gymaint hapusach oedd Mira wrth gael ei phlentyn yma gyda hi, fel na fyddai Anil yn gorfod wynebu tynged y fferm…

Pam y bu hi mor ddall â chredu fod cariad y Llyw tuag ati'n gallu bod yn anhunanol? Do, fe olygodd y cariad hwnnw ei bod hi wedi cael byw, yn lle ei lladd fel y lleill, ar ôl iddi gwblhau ei gwasanaeth ar y fferm, ond cariad un ffordd oedd e, cariad lawn mor hunanol â'i chariad hi at Anil.

A dyma Anil yn dangos iddi beth oedd cariad go iawn drwy wrthod gadael iddyn nhw gipio Cai, drwy osod mwy o werth ar ddiogelwch ei gariad na'i ysfa i fod yn ei gwmni. Beth achosodd iddi fod mor ffôl â chredu y byddai pob dim yn iawn ond iddi gael Anil bach yn ei breichiau unwaith eto? Am bethau hunanol yw mamau!

'Iawn… iawn…' Plethodd Mira ei breichiau amdani yn anniddig.

'Promis, Mam!' erfyniodd Anil arni, heb awch at y bwyd mwyach. Gwnaeth iddi addo na fyddai'n dwyn perswâd ar y Llyw i gipio Cai.

'Promis, mi cariad… mi promis,' a chusanodd Mira ei arlais.

Daeth sŵn siffrwd symud o'r caban pren a rhewodd y ddau. Clustfeiniodd y fam a'i phlentyn am rai eiliadau, cyn anadlu'n fwy rhydd: rhaid mai un o'r caethion eraill oedd yn troi yn ei gwsg. Cododd Anil a brwsio briwsion y bara oddi ar ei sachwisg. Cofleidiodd y ddau'n gyflym ond yn gynnes, heb ddweud gair arall. Camodd Anil at ddrws y caban a throi'r bwlyn yn araf bach.

Diflannodd Mira i gysgod y coed i chwilio am y llwybr yng

ngolau'r lleuad a fyddai'n ei harwain, yn y pen draw, yn ôl i wely'r Llyw.

*

Yn ei wely ar waelod y bync a rannai gyda Jean-Luc, ceisiodd Anil gau geiriau ei fam o'i ben. Teimlai'n gwbl rwystredig na allai ei gwarchod hi rhag y Llyw, rhag cael ei threisio ganddo'n nosweithiol, waeth dyna ydoedd. Oedd, roedd e'n garedig tuag ati yn ei ffordd ei hun, yn ei charu yn ei ffordd ei hun.

Ond treisiwr oedd e. Ac er na ddymunodd Anil niwed i neb arall erioed yn ei fywyd, ysai am gael tagu'r Llyw.

Trodd eto ar ei wely pren, a thynnu'r cerpyn blanced treuliedig yn dynnach amdano. Ond doedd cwsg ddim yn agos.

4

D OEDD HI DDIM wedi gwawrio, ond roedd sawl un o drigolion y dref eisoes wedi codi. Bytheiriodd Gwawr o dan ei gwynt. Byddai wedi gallu cysgu am oriau eto.

Yn lle hynny, roedd Cai wedi ei ddeffro i ddweud bod Bwmbwm ar goll. Roedd e i fod i fynd gyda nhw i ddal ceffyl arall, ond pan aeth dau neu dri o'r Ni i chwilio amdano, doedd e ddim yn ei wely.

'Damo Bwmbwm!' meddai Gwawr a gwisgo'i gwasgod groen llygod amdani i fynd i chwilio. 'Allwch chi ddim mynd hebddo fe?'

Gwyddai cyn i Cai ateb na allen nhw wneud hynny: roedd Bwmbwm yn un o'r chwech oedd i fod i fynd. Fyddai dim siâp llwyddo arnyn nhw heb chwech o bobl i gorlannu'r ceffyl yn y lloc ar ben pellaf y cwm lle bydden nhw'n hela'r anifail o'r gors. Chwech o bobl a dau gi. Amheuai Gwawr faint o ddefnydd fyddai Bwmbwm ta beth, ond roedd e wedi dangos nad oedd e'n gwbl anobeithiol ar deithiau i hela cŵn. Dim ond sefyll mewn man strategol oedd ganddo i'w wneud i hel yr anifail i'r cyfeiriad roedden nhw am iddo fynd.

'Ei dro fe yw hi,' meddai Cai. 'Ti'n gwbod pa mor benderfynol yw Gwenda o'i gael e i fihafio.'

Doedd Gwenda ddim wedi llacio modfedd ar ei hawdurdod

yn achos Bwmbwm ers blwyddyn gron. Rhan o'i hymdrech i'w gael i gydymffurfio oedd hynny, i ildio i'r ffaith nad oedd e'n unben mwyach, ac i geisio'i gael i ymddwyn fel gweddill y Ni a'r Ynyswyr, oedd yn bobl gall a synhwyrol at ei gilydd.

Roedd hi'n berwi. 'Lle ma'r cythrel pwdwr? Aros i fi ga'l gafel arno fe!'

Stompiai Gwenda o un tŷ i'r llall heb boeni faint o'r trigolion roedd hi'n eu dihuno.

Daeth Olaf o'i wely yn hanner cysgu, o glywed y cythrwfl.

'Beth sy'n bod? O's rwbeth wedi digwydd? Ddim heddi dwi'n hela, ie?'

'Bwmbwm sy ar goll.'

'Dyna i gyd? Dwi'n mynd 'nôl i'r gwely.' A throdd ar ei sawdl.

'Ma Gwenda'n gynddeiriog,' meddai Gwawr i egluro'r holl ffys. 'Ma hi'n gyndyn o fynd hebddo fe. Fe gynigodd Wotsi fynd eto heddi, ond dyw Gwenda ddim yn fodlon. Tro Bwmbwm yw hi i fynd, a dyna fe.'

'Reit,' meddai Olaf, a dylyfu gên. 'Nos da.'

Dychwelodd i'w wely. Ystyriodd Gwawr wneud yr un peth. Roedd Cai eisoes yn ei ddillad yn barod i gychwyn ar ei daith, ei gyllell yn ei gwain yn y gwregys am ei ganol, a'i bicell yn ei law. Siaradai â Lal a afaelai mewn dau gi wrth dennyn. Gallai weld fod y criw o helwyr yn ysu am gael mynd.

'Gwenda,' ceisiodd Gwawr ddal pen rheswm â'r ddynes hŷn, 'ry'ch chi'n colli amser gwerthfawr. Ewch chi, cer â Pega a Miff yn lle Bwmbwm, fe garia i o'r caeau yn eu lle nhw heddi, ac edrych am Bwmbwm 'run pryd.'

Ceisiodd Gwenda ddadlau, gan siarad rhwng ei dannedd gan mor ddig oedd hi gyda'r babi-dyn a achosai'r fath rwystredigaeth parhaol iddi. Ond yn y pen draw, gwyddai na ddôi unrhyw les o golli ei thymer, a bod Gwawr yn iawn. Rhaid oedd bachu ar bob llafn o olau dydd os oedden nhw'n mynd i lwyddo i ddal caseg i'w rhoi at y ceffyl.

Ildiodd Gwenda i gyngor Gwawr, a dechreuodd hel ei chriw ati i'w cyfarwyddo ynglŷn â'r daith oedd o'u blaenau. Roedd Freyja eisoes wedi rhannu'r cynlluniau â hi, a Gwenda oedd yr un a gadwai drefn ar bawb heddiw, fel roedd Olaf wedi'i wneud ddoe. Er bod Freyja yn helwraig benigamp, doedd hi ddim cystal â'r un o'r ddau arall am gadw trefn ar bobl.

Synnwyd Gwawr gan y parodrwydd difrifol a ddangosodd Olaf dros y flwyddyn ddiwethaf i fwrw iddi ar y gwaith o ailadeiladu'r dref. Gwnaeth hynny heb golli ei synnwyr digrifwch, ond os oedd Gwawr wedi amau ar unrhyw adeg yn ystod y daith i Aberystwyth mai clown arwynebol oedd Olaf, ac mae ei unig bwrpas yn y byd oedd gwneud iddyn nhw chwerthin, roedd hi wedi dysgu dros y misoedd diwethaf fod hwyl ei dynnu coes a gwamalrwydd smala ei sgwrs yn ddim ond rhai o liwiau enfys gyfan ei gymeriad. Pan oedd Cai yn gaeth i'r felan er gwaethaf pob ymdrech ar ei rhan i'w godi ohoni, Olaf, yn anad neb, oedd wedi bod yno ar ei chyfer hi.

'Ceinog amdanyn nhw,' meddai Olaf, a sylweddolodd Gwawr ei fod wedi bod yn sefyll yno yn ei gwylio'n synfyfyrio, yn drwm o flinder heb ei ddiwallu'n llawn.

Gwenodd Olaf arni, ac anelodd hithau'n ôl i'w hystafell am

deirawr arall o gwsg cyn iddi orfod codi i wynebu gorchwylion y dydd.

*

Roedd Gwawr yn amau mai yn ôl at safle'r hen blas yr âi Bwmbwm. Ddwywaith neu dair yn ystod y flwyddyn ers y tân mawr a ddinistriodd ei gartref a'i gi annwyl, roedd rhywun neu'i gilydd o drigolion y dref wedi dod o hyd iddo yn ei gwrcwd wrth yr adfail yn wylo dagrau'n lli. Ar adegau felly roedd Gwawr a'r lleill, os nad Gwenda, yn teimlo trueni drosto. Llwyddasai'r lleill i addasu i'w bywyd newydd yn y dref, ond doedd dim argoel o ymaddasu yn Bwmbwm druan. Rhyfedd sut roedd y llo twp yn gallu ennyn y fath gydymdeimlad yn y lleill tuag ato ar adegau – a'r fath wylltineb rhwystredig ar adegau eraill.

Gwyddai y byddai'n rhaid iddi wneud dwy siwrne i gasglu cnydau gyda'r drol dynnu er mwyn cyflawni ei haddewid i Gwenda, shifft Pega a Miff a oedd wedi mynd i hela yn lle Bwmbwm. Doedd hynny ddim yn amharu llawer arni. Ar ôl yr hela ddoe, diwrnod iddi hi ei hun oedd heddiw i fod, diwrnod o wyliau, o wneud dim byd ar ôl chwysu drwy'r dydd ddoe. Ond doedd gan Gwawr fawr i'w ddweud wrth gicio'i sodlau.

Yn ystod yr wythnosau diwethaf, roedd hi wedi dechrau meddwl mwy a mwy am ei theulu yn ôl ar yr Ynys. Gwelsai eu colli o'r dechrau wrth gwrs, ers iddi eu gadael mewn gwirionedd, ond doedd awch ei hiraeth ddim wedi bod mor finiog â'r wythnosau diwethaf am ryw reswm. Tybiai efallai mai gweld blwyddyn gyfan wedi mynd heibio ers iddyn nhw adael yr Ynys yr oedd hi, a dim gair, dim sôn o gwbl gan neb, am ddychwelyd. Doedd dim cynlluniau ar gyfer teithio'n ôl ar draws Lloegr at y cwch a'u cludai adref, yn union fel pe bai pob un o'r Ynyswyr yn dawel bach wedi ymgynefino â'r ffaith mai yma y bydden nhw o hyn ymlaen.

Ond pan fyddai Gwawr yn diogi, heb ddim i fynd â'i meddwl, byddai hiraeth yn tueddu i wthio'i big i mewn i'w hymennydd.

Ai'r un hiraeth a deimlodd Mam Un dros ganrif yn ôl ar yr Ynys, pan ddeallodd fod y byd fel oedd e wedi dod i ben? Pan sylweddolodd na welai byth mo'i theulu na'i gwlad eto? Ai'r hiraeth hwnnw a fu'n gyfrifol am wneud iddi gadw cymaint o'i hen fywyd, cymaint o wybodaeth am Gymru ar gof a chadw ar ffurf ei Dyddiadur? Yr ysfa iasol, oesol, i oroesi – mewn corff a gennyn, ie, ond mewn meddwl ac ysbryd hefyd.

Daeth darlun i feddwl Gwawr o Fam Un yn plygu dros y dalennau mewn ystafell dywyll i ysgrifennu'r Dyddiadur mewn ysgrifen fân, fân, er mwyn arbed papur. Yno y byddai, yng ngolau'r gannwyll ynghanol lledwyll y gaeaf niwclear ar yr Ynys, yn cofnodi popeth y gallai ei grafu o gilfachau ei chof am y wlad a'i gwnaeth hi'n hi, am yr iaith a gariodd gyda hi i Gylch yr Arctig.

Estynnodd Gwawr am y garreg yn ei phoced i'w throi unwaith eto rhwng ei bysedd fel y gwnâi bob adeg o'r dydd, a synnu am nad oedd hi yno. Ni fyddai byth yn anghofio cario carreg Mam Un yn ei phoced, ac eto, y bore hwnnw, cofiodd iddi ei gadael ar ei sil ffenest yn y dref gan feddwl ei rhoi ym mhoced y sgert oedd amdani... Ond peth meddal yw meddwl, fel y byddai Olaf yn ei ddweud.

Daeth pigiad bach o ofn drosti, cyn iddi ymysgwyd a challio. Gwenodd ar ei hofergoeliaeth. Byddai Cai'n ei difrïo pe bai e'n gwybod.

Dechreuodd lwytho'r basgedi roedd hi wedi'u casglu o gyrens duon, letys, moron, winwns a gwsberins ar y drol yn barod i'w tynnu'n ôl i gyfeiriad y dref. Câi'r gwenith aros tan yr ail siwrne, gan y byddai'n rhaid mynd â'r llwyth hwnnw i'r felin ar ei ffordd yn ôl i'w droi'n flawd ar gyfer gwneud bara.

Wrth sythu yn ei hôl ar ôl codi dwy foronen a oedd wedi cwympo wrth bentyrru'r basgedi, tybiodd Gwawr iddi weld symudiad wrth ymyl y ffens fawr roedd y trigolion wedi'i chodi i dorri ar awch y gwynt rhag deifio'r cnydau. Draw ar ben uchaf y llechwedd, ar ffin eu caeau...

Anadlodd Gwawr yn ddwfn. Doedd dim angen gofyn pwy oedd yno. Gallai weld cysgod Bwmbwm yn glir er ei fod ganllath da oddi wrthi. Penderfynodd beidio â rhuthro ar ei ôl. Wnâi e ddim ond ceisio dianc. Gadael iddo oedd y cynllun gorau, meddyliodd Gwawr. Trueni na allai Gwenda roi ychydig bach mwy o lonydd i'r truan. Oedd, roedd e wedi trin ei bobl yn ofnadwy, ac wedi bygwth lladd Cai drwy ei gloi i mewn gyda'r ci ynfyd yr arferai ei addoli. Ond y dyddiau hyn, hen greadur digon pathetig oedd Bwmbwm, a phrin ei fod e'n beryg i neb.

Trodd Gwawr i anelu'n ôl am y dref. Gwisgodd y gwregys a glymai'r drol at ei hysgwyddau, a dechrau tynnu. Disgleiriai'r haul yn greulon ar ei phen, er nad oedd hi eto'n ganol y bore. Difarai beidio â bod wedi gwisgo'i het. Cyrhaeddodd gwr y coed cyn y byddai'n rhaid dringo'r rhiw, a rhoddodd y gorau i dynnu'r gert am rai munudau er mwyn oeri damaid yn y cysgod. Eisteddodd wrth foncyff coeden ac edrych yn ôl i'r cyfeiriad y daeth ohono. Chwiliodd ei llygaid am Bwmbwm.

Roedd e wedi dod allan o'i guddfan, ac yn cerdded ar lawr y dyffryn, rhwng rhesi o gyrens duon. Oedai bob yn hyn a hyn i dynnu llond llaw, cyn eu taflu i'w geg fesul bwnsiaid. Gwenodd Gwawr wrthi ei hun. Doedd dim dysgu ar hwn. Un o reolau'r dref oedd nad oedd neb i fwyta (mwy na blasiad fan hyn fan draw) heb roi cyfri amdano. Roedd adegau'r prydau bwyd yn achlysuron cymunedol oni bai ei bod hi'n bwrw cymaint o law fel nad oedd hi'n syniad da i neb fod y tu allan i'w tai. Ystyriai'r rhan fwyaf o drigolion y dref fod hynny'n ddigon teg, gan fod angen cadw llygad ar y cyflenwad bwyd drwy'r amser.

Gwenodd yn fwy llydan byth wrth weld Bwmbwm yn camu draw at ben y dalar lle roedd strwythurau o wiail a gwydr yn gwarchod planhigion tomatos. Gwelodd ef yn plannu ei ddeuddant i domato mawr, aeddfed. Roedd e'n ddigon agos iddi allu gweld y mwynhad pur ar ei wyneb wrth iddo ei lowcio.

Ystyriodd gamu allan o'r cysgod a galw arno, er mwyn gweld ei ddychryn. Fe ddysgai hynny wers iddo. A gallai ddweud wrtho ei fod e'n lwcus mai hi oedd wedi'i ddal, nid Gwenda. Byddai honno wedi ei wahardd rhag bwyta am dridiau pe bai hi wedi'i ddal yn torri'r rheolau. A hynny ar ben y triwant rhag yr helfa roedd e i fod yn rhan ohoni.

Ond roedd Gwawr yn cael gormod o sbort yn ei wylio'n cael y fath fwynhad i darfu arno. Dôi i'r golwg pan fyddai wedi gorffen, er mwyn ei hebrwng yn ôl i'r dref i wynebu cerydd Gwenda pan ddychwelai honno heno.

Yna, roedd Bwmbwm wedi delwi, y tomato nesaf yn ei law, hanner ffordd i fyny at ei geg. Ond roedd e'n rhythu draw i gyfeiriad y gogledd a golwg o arswyd pur ar ei wyneb.

Cododd Gwawr ar ei thraed mewn dychryn wrth ei weld, cymaint oedd y newid yn yr olwg ar ei wedd. Daeth allan o gysgod y coed, ac edrych draw i'r gogledd, wrth i gysgod du arall symud ar draws yr awyr i'w cyfeiriad.

Clywodd rŵn yr injan. Blwyddyn, meddyliodd Gwawr, ond mai o'r môr y daeth y pryd hwnnw, nid o'r mynydd.

Sgrechiodd Bwmbwm. Cynyddodd grŵn yr injan. Lledodd cysgod ei adenydd du dros y ddaear. Cododd Gwawr ei llygaid at fol yr aderyn.

Roedd e ar fin glanio.

5

'**G**WYLIA!' BLOEDDIODD FREYJA o'r ochr arall i'r ceffyl.

Roedd hi'n cael trafferth dal y ffrwyn i gadw'r anifail rhag bolltio heibio i Cai, a oedd wedi neidio o ffordd y gaseg gynddeiriog. Cododd ei bicell i'w gwthio i ystlys yr anifail, i'w chadw â'i thrwyn tuag at y gogledd ac Aberystwyth.

'Dihuna, Cai!' cyfarthodd Gwenda arno'n siarp.

Ceisiodd yntau ganolbwyntio ar yr hyn oedd yn digwydd o'i gwmpas. Roedd hi mor hawdd ildio i gynnwys ei feddyliau wrth deithio, wrth gerdded, rhoi un cam o flaen y llall. Buan iawn y byddai'n ôl, yn ail-fyw y llynedd, a'i wythnosau cyntaf yn y wlad ddieithr hon nad oedd hi ond wedi teimlo fel cartref iddo am yr ychydig amser hwnnw – cyn i'r awyren lanio.

Hyd yn hyn, roedd prysurdeb hela'r ceffyl wedi cadw ei feddwl rhag crwydro, fel y gwnâi prysurdeb bob amser: ailosod llechi ar y toeau, codi waliau i adeiladu siediau ac adfer tai, plethu rhaffau a allai gadw holl gŵn gwyllt yr ardal yn eu lle – trwsio, atgyweirio, creu, cynhyrchu, adeiladu. Gan ddadfeilio ar ei du mewn.

Roedd yr helfa wedi mynnu pob owns o'i nerth a phob eiliad o'i sylw. Deirgwaith, roedd y gaseg wedi llwyddo i droi ar y funud olaf ac osgoi mynd ar ei hunion i'r lloc, a'r ceffylau wedi rhedeg draw dros y grib i'r dyffryn nesaf, i ben draw cilfach yn y fan honno. Yr eiliad y byddai'r gaseg yn rhedeg fel bollt heibio i un ohonyn nhw, neu heibio i un o'r cŵn, gwyddai'r helwyr eu bod wedi gwastraffu'r awr neu ddwy a dreuliwyd yn gyrru'r ceffylau o'u porfa ar y tir ar gyrion y gors, yn cau i mewn ar ddau neu dri anifail, cyn canolbwyntio ar y gaseg roedd Freyja wedi'i chlustnodi ar ddechrau'r diwrnod. Gyda phob methiant, rhaid oedd crwydro ymhellach tua'r mynyddoedd ar ôl y re, a dechrau o'r dechrau.

Ar ôl methu deirgwaith, roedd Gwenda o'r farn na ddôi unrhyw les o wneud rhagor heddiw. Roedd hi'n tynnu at amser te. Roedden nhw wedi teithio filltiroedd ymhellach i'r de nag a fwriadwyd, a'r Ni a'r Ynyswyr fel ei gilydd wedi hen ddiffygio: pawb ond Freyja.

'*Un* waith eto,' meddai. 'Ma'r ceffyle'n blino…'

'A ninne gyda nhw,' meddai Gwenda'n ddiflas.

Freyja gafodd ei ffordd, ac roedd hi'n llygad ei lle. Chymerodd hi fawr o amser yn y diwedd i wahanu'r re o ddeg ar hugain o geffylau ac ebolion, a gyrru'r cŵn i'w hel i fan cyfyng rhwng craig ac afon. Rhedodd y ci mawr llwyd dros fraich y bryn i gylchu y tu ôl i gaseg winau, a rhwng pawb, fe lwyddwyd i'w dal. Rhwymwyd y ffrwyn am ei phen a daliodd Freyja a Gwenda'r rhaffau wrth i'r lleill ei chyfeirio â'u picelli.

Doedd Freyja ddim wedi gorffen. Gan eu bod, y tro hwn, wedi dod â chert fach gyda nhw rhag ofn y doen nhw ar draws ci i'w ladd, penderfynodd yr helwraig y dylen nhw ladd un o'r ebolion gwannaf yr olwg i'w gyrchu'n ôl i'r dref i'w halltu a'i gadw yn eu storfa fwyd. Dadleuodd Gwenda nad oedd lle i ebol yn y gert fach ond doedd Freyja ddim wedi gwrando. Roedd hi â'i llygad ar ebol a gâi waith dal i fyny â'r gweddill, ac wedi rhedeg ar draws y llechwedd lle roedd y re wedi dechrau ailymgynnull.

Ers rhai misoedd roedd hi wedi bod yn saethu anifeiliaid â bwa a saeth a wnaethai ei hun, ac wedi perffeithio'i chrefft. Y tro hwn, un waith yn unig y bu'n rhaid iddi saethu. Disgynnodd yr ebol, a rhedodd gweddill y ceffylau i fyny'r llechwedd i osgoi'r un dynged. Gweryrent yn eu harswyd, a phefriai'r chwys ar eu cefnau. Nesaodd Freyja at yr ebol a wingai mewn poen. Roedd y saeth wedi'i daro yn ei fol. Safodd Freyja uwch ei ben. Cododd yr ebol ei ben, a'i lygaid yn erfyn am drugaredd.

Osgôdd Freyja'r llygaid, a phlannu ei phicell rhwng asennau'r anifail.

Helpodd Cai hi i'w godi ar y drol. Aeth Miff at Wotsi i'w helpu i lusgo'r drol. Er gwaetha'r addewid o wledd, doedd yr un ohonyn nhw'n hapus iawn eu bod yn gorfod teithio'r holl ffordd yn ôl gan lusgo'r fath bwysau o'u holau. Golygodd eu gorchwyl ychwanegol fod angen i Cai a Pega – Niad cryf yn ei hugeiniau cynnar – gadw eu picelli'n gyson wrth goesau ôl y gaseg i'w chadw i gerdded i'r cyfeiriad iawn heb wingo'n rhydd o afael Gwenda a Freyja ar y tu blaen.

Ar ôl ei holl ymdrechion i ddianc, buan iawn yr aeth y gaseg yn rhy flinedig i roi cynnig arall arni, a cherddai'n weddol ufudd rhwng y rhaffau a ffrwynai ei phen rhwng Freyja a Gwenda o'i blaen.

Wrth gerdded y tu ôl i'r gaseg, gallai Cai weld pen yr ebol

yn hongian dros flaen y gert a dynnai Wotsi a Miff ochr yn ochr â nhw ar hyd llawr y dyffryn. Syllai'r creadur arno drwy lygaid marw. Suai pryfed gleision o gwmpas y carcas, a glaniodd clwmp ohonyn nhw ar amrannau hirion yr anifail. Bownsiai'r pen dros gerrig, gan dasgu peth o'r drefl a ddôi oddi ar y tafod tew a hongiai o'i geg dros goesau Cai. Diferai gwaed rhwng estyll gwaelod y gert, nes bod rhimyn coch yn dilyn ei holwynion dros borfa a cherrig a llwch.

Cerdded oedd waethaf. Rhythm undonog, nad oedd yn ddigon i gael gwared ar ei feddyliau.

Teimlai Cai'n benysgafn. Roedd llygaid yr ebol llonydd fel pe baen nhw'n ei wylio, yn ei gyhuddo. Rhythent i mewn i'r gwagle. A nawr, roedd pen difywyd yr ebol yn llenwi ei ben yntau â meddyliau am farwolaeth hefyd. Dim ond pryfetach swnllyd oedd yn fyw. Gwyliodd Cai'r pryfed wrth iddo gerdded. Symudent yn un haid, yn un endid disglair glas dros y clwyf yn ochr yr ebol, fel tarian fyw o ryw oes a fu, nad oedd yn darian o gwbl. Cythrent am y gwaed. Cythrai eraill am wlybaniaeth y llygaid, lle nad oedd yr amrannau'n gwneud eu gwaith bellach.

Gallai Cai deimlo'r chwys ar ei dalcen ei hun. Ceisiodd anadlu'n fwy gwastad er mwyn lleddfu'r ysfa i chwydu. Canolbwyntiodd ar ei draed. Ond daliai i glywed y pryfed. Cofiodd am y Chwilod a aeth ag Anil. Roedden nhw wedi ei gadw'n effro sawl, sawl gwaith. Wedi ei ddihuno'n chwys oer o hunllef. Wedi cadw'r hunllef yn ei ben yn ystod ei oriau effro.

Doedd blwyddyn prin wedi lleddfu'r hiraeth. Oedd,

roedd y lleill wedi ymdrechu'n galed, neb yn fwy na Gwawr. Rhoddodd amser caled iddi, gallai weld hynny. Er gwaetha pob ymdrech roedd ei ffrind gorau yn y byd i gyd wedi'i gwneud, doedd e ddim wedi gallu camu ymlaen, rhoi'r hyn a ddigwyddodd y tu cefn iddo. Gwyddai fod Gwawr wedi gwneud ei gorau, yn dal i wneud ei gorau, heb roi'r ffidil yn y to. Gwyddai pa mor anodd oedd hi i Gwawr fyw bywyd ar ei delerau ef, ar ei gyflymder ef, gwrando arno, ar ei hiraeth, ar ei ail-fyw diddiwedd o'r hyn a ddigwyddodd pan laniodd yr awyren. Gwrando ar ei anobaith, ac yna ei obaith am yn ail, yn chwarae mig â'i gilydd: y sicrwydd pendant fod Anil wedi marw, ac yna, yr eiliad nesaf, yr argyhoeddiad cadarn ei fod e'n dal yn fyw. A Gwawr yn gwrando, yn cytuno, yn yngan geiriau cysur, cyn i'r cylch ddechrau eto. Anobaith, gobaith, anobaith...

A'i hwyliau gwael wedyn, y dyddiau pan nad oedd e'n gallu siarad â hi hyd yn oed, dim ond byw yn ei ben a rhoi amser caled iddi am feiddio ceisio'i gael i siarad, i rannu. Am geisio sôn am rywbeth arall.

Crwydrodd ei lygaid at ben yr ebol eto. Roedd marwolaeth ym mhob man yn y lle newydd hwn. Y lle yma roedden nhw'n ei alw'n gartref bellach. Bob dydd, roedd marwolaeth Anil yn ei ddilyn i bob man. Ac os nad oedd hi'n farwolaeth lythrennol, fyddai waeth iddi fod.

Daeth y fintai at gae yn llawn o flodau o bob lliw yn y byd. Gorchmynnodd Freyja iddyn nhw yfed o nant a redai ar gyrion y cae, ac roedd pawb yn fodlon ufuddhau iddi. Gwenai'r haul o'u blaenau, yn dal i fod yn uchel uwchben y bryniau rhyngddyn nhw a'r môr, ond yn llai crasboeth erbyn hyn.

Edrychodd Cai ar holl liwiau'r cae. Welodd e erioed ddim byd harddach yn ei fyw. Pigai dagrau yn ei lygaid wrth syllu arnyn nhw, a theimlodd y gwynt yn gadael ei ysgyfaint. Roedden nhw mor brydferth, holl liwiau natur fel pe baen nhw wedi dod at ei gilydd. Wyddai e ddim beth oedd enw'r un o'r blodau ond roedden nhw i gyd yma, fel pe bai natur ei hun wedi penderfynu paratoi gwledd iddo. Camodd rai llathenni oddi wrth y lleill, nes nad oedd e'n clywed mwy na murmur eu lleisiau. Camodd yn agosach at y carped a orchuddiai lawr y dyffryn.

Falle'i fod e wedi marw, meddyliodd yn ddidaro. Falle mai dyma oedd marw. Camu i'r ardd hyfryd hon, i ganol y prydferthwch. Falle y codai'r carped hardd o flodau a'i gludo i fyd arall, i fyd a ddaw.

Falle y byddai e yno. Anil…

Camodd yn ei ôl, a throi ei gefn ar y cae o flodau. Roedd hi'n bryd iddo fynd adre at Gwawr, i rannu'r hyn roedd e wedi'i weld, i adfer eu cyfeillgarwch a dechrau gwrando arni hi am unwaith. Roedd hi'n hen bryd.

Trodd ei gefn ar y lliwiau. Dôi lliwiau eraill. Teimlodd Cai ryw lonyddwch.

*

'Mae hi wedi mynd!'

Welodd Cai erioed mo Olaf yn y fath gyflwr. Fel arfer, gallai wynebu'r trychineb mwyaf gyda gwrthrychedd eironig a oedd yn ymylu ar fod yn ddi-hid. Ond roedd e wedi cynhyrfu'n lân pan redodd at y criw hela wrth iddyn nhw groesi hen bont y brotest i mewn i'r dref.

'Pwy?'

'Gwawr. Ddoth Bwmbwm 'nôl, yn fwy mas o'i ben na'r arfer, a dachre chwydu rhyw straeon…'

'Be ti'n feddwl, "wedi mynd"?'

'Yr awyren,' dechreuodd Olaf. Teimlodd Cai ei galon yn rhoi naid. 'Wedodd Bwmbwm fod 'na aderyn mawr, du…'

Erbyn hyn, roedd Gwenda a Freyja a'r Ni wedi clywed.

'Weloch chi ddim byd?' holodd Gwenda.

Eglurodd Olaf nad oedd neb wedi gweld dim y tro hwn, neb ond Bwmbwm.

'Ydi e'n dweud y gwir?' holodd Cai.

Yr awyren. Yr aderyn. Blwyddyn. Doedd bosib…

Eisteddai Bwmbwm ar fainc ar ganol y stryd gyferbyn â'r tân. O'i amgylch tyrrai'r rhan fwyaf o'r Ni, yn ei bledu â chwestiynau, nes nad oedd e'n gallu ateb neb. Daliai ei ben yn ei ddwylo, fel pe bai'r holl holi'n fwy nag y gallai ei ymennydd ei ddal.

'Bwmbwm?' holodd Cai wrth nesu.

Ciliodd rhai o'r Ni wrth ei weld yn dod, o ryw fath o barch tuag ato, gan mai Cai oedd wedi colli fwyaf pan aed ag Anil oddi wrthyn nhw. A nawr, roedd ei ffrind mawr wedi mynd hefyd, wedi'i llyncu gan yr aderyn.

Eisteddodd Cai ar stôl bren o flaen Bwmbwm, ac eisteddodd Olaf ar y llawr wrth ei ymyl.

'Pryd oedd hyn?' gofynnodd Cai i Bwmbwm. Ni ddaeth ateb. Dim ond ysgwyd ei ben heb ostwng ei ddwylo o flaen ei wyneb a wnaeth y cyn-unben.

Camodd Wotsi ymlaen i roi proc i'w gyn-feistr: 'Wen is?' cyfieithodd.

Ond gwyddai Cai fod Bwmbwm yn deall Cymraeg yn iawn bellach, a doedd e ddim am adael i styfnigrwydd y ffŵl ei atal rhag gwybod y gwir am Gwawr. Gafaelodd yn ei freichiau a chodi ar ei draed nes ei fod e'n rhythu i lawr arno'n fygythiol. Yna, roedd e wedi gollwng breichiau Bwmbwm ac wedi gosod ei ddwylo am ei wddw.

'Dwed beth sy wedi digwydd i Gwawr yr eiliad 'ma, neu fe wna i dy flingo di'n fyw!'

6

Y N ARAF BACH, fe ddadebrodd. Yn raddol, daeth ei chlyw'n ymwybodol o sŵn grŵn... oddi tani? O'i chwmpas?

Yna, yr un mor raddol, daeth yn ymwybodol o oleuni y tu ôl i'w hamrannau caeedig. Nid goleuni haul, ond rhyw wynder... Mentrodd agor ei llygaid, ac roedd ei chorff mor swrth fel nad oedd hyd yn oed agor ei llygaid yn hawdd. Caeodd nhw drachefn. Ond sylweddolodd nad awyr a welsai. Nid haul ac awyr las, na dail ar goed, na nenfwd pren ei hystafell wely gartref. Nid unman cyfarwydd.

Agorodd nhw eto, yn haws y tro hwn. Nenfwd gwyn oedd i'r ystafell, yn crymu ar yr ymylon fel pe bai hi mewn hanner cylch. Ceisiodd droi ei phen. Er nad oedd unrhyw boen, teimlai fel pe bai hi o dan ddŵr a phob dim yn fwy o ymdrech, yn gweithio yn erbyn ei chyhyrau.

Roedd hi ar wely cyffyrddus. Suddai i mewn iddo, a'i phen ar obennydd meddalach nag a deimlodd erioed yn ei byw. Dôi aroglau hyfryd i'w ffroenau, naill ai oddi ar y gobennydd, neu yn yr aer: lafant, efallai. Trodd ei phen y mymryn lleiaf i'r dde, a gweld ffenest, a goleuni'n arllwys i mewn drwyddi o'r tu allan. Prin ei bod hi'n ddigon o faint i adael y fath oleuni i'r ystafell, meddyliodd, ond gwelodd wedyn fod un arall y tu draw iddi, ac un arall wedyn, yn rhes o ffenestri bychain i ben draw'r ystafell.

Teimlodd y dylai godi ei phen i weld beth arall oedd i'w weld. Nid dyma lle roedd hi i fod, wedi'r cyfan – er na allai gofio'n iawn lle roedd hi i fod. Gartref yn ei gwely? Oedd hi'n ddiwrnod ysgol? Oedd hi wedi bod yn sâl, a'i mam ar y ffordd i roi llwyaid o'i moddion perlysiau i'w dihuno â'i flas afiach?

Na, roedd hi yn rhywle arall, er na allai gofio ymhle. Rhywle cynnes, lle roedd yr haul yn sychu'r ddaear, ac yn boeth ar ei chroen am y rhan fwyaf o'r flwyddyn heblaw pan oedd hi'n glawio glaw na welsai erioed mo'i debyg yn y lle arall, y lle gwyn. Eira. Ie, eira. Does dim eira yng Nghymru.

Dyna fe, yng Nghymru. Dwi yng Nghymru, meddyliodd. Ond nadw, meddyliodd wedyn, nid Cymru mo hyn… Gwely dieithr mewn ystafell ddieithr. Gyda'r eiliadau, dôi yn ôl iddi fod rhyw fygythiad…

Ceisiodd godi ei phen, ond doedd dim digon o awydd ynddi, er bod rhyw ofn yn crafu wrth ymylon ei hymwybyddiaeth nad dyma sut roedd hi i fod, er mor hyfryd oedd y teimlad o gwsg effro.

Golchodd ychydig bach mwy o'i hymwybyddiaeth i flaen ei hymennydd, a daeth cysgod o ofn gydag e. Ble ddiawl oedd hi?

Gallai dyngu ei bod hi'n symud, ac eto… doedd hi ddim. Roedd hi ar wely, a doedd yna'r un gert yn y byd yn gallu symud ar hyd y ddaear mor llyfn. Rhaid mai'r penstandod oedd yn gwneud iddi deimlo felly. A'r grŵn yn y pellter…

Cysgodd.

Pan ddihunodd eilwaith, roedd hi'n gallu symud ei phen. Gwelodd ffenestri ar hyd dwy ochr yr ystafell gul. Cododd ei phen i edrych tuag at ben pellaf yr ystafell. Oedd, roedd hi ar wely, mewn gwely, a charthen ysgafnach na dim a deimlodd erioed drosti, yn wyn fel to'r ystafell, fel waliau'r ystafell. Doedd dim ond gwely, a gwyn.

Cododd ei hun ar ei phenelin chwith. Dôi pethau'n gliriach. Aderyn… nage, awyren. Dyna oedd hi. Awyren fawr a'i chysgod yn cau'r haul allan. Yn glanio wrth ymyl lle roedd plas y Ni'n arfer bod. A Bwmbwm yn rhywle. Maen nhw'n mynd i fynd â Bwmbwm, meddyliodd. Fe aethon nhw ag Anil a nawr maen nhw'n mynd i fynd â Bwmbwm draw dros y môr lle maen nhw'n cludo'r meirw. Rhaid bod Bwmbwm wedi marw, er iddi ei weld e'n dwyn llysiau a ffrwythau, yn stwffio'i fochau â thomatos mawr boliog, coch. Rhaid mai Bwmbwm roedd yr awyren ei eisiau, nid hi. Doedd hi ddim yn credu'r stori am aderyn yn cludo'r meirw dros y môr, felly nid hi…

Cododd ar ei heistedd mewn amrantiad. Taflodd y gorchudd ysgafn o'r ffordd a llamu allan o'r gwely. Na! Doedd y peth ddim yn bosib! Rhedodd at y ffenest ac edrych allan. Roedd hi'n symud, oedd. Ond ar fôr gwyn gwlanog, fel pe bai niwlen yn gorchuddio'r ffordd oddi tanyn nhw. Taith lefn, fel pe bai'n symud drwy'r awyr, ond doedd bosib…

Estynnodd Gwawr i'w phoced i chwilio am gysur carreg Mam Un. Ond doedd hi ddim yno.

Yna, ar amrantiad, daeth bwlch yn y cymylau, a gwelodd Gwawr y môr yn bell, bell oddi tani.

A dechreuodd sgrechian.

*

Yn Afallon, roedd y Llyw yn gwylio'r sgrin yn llawn diddordeb. Wrth ei ysgwydd safai Mira, ond nid oedd ei hwyneb hi'n datgelu'r un cyffro.

'Ifanc. Be ddwedet ti?' gofynnodd i Mira.

'Ifanc iawn,' mwmiodd Mira wrthi ei hun. Trodd y Llyw i edrych arni, a niwlen o anniddigrwydd wedi dod i'w lygaid: trueni nad oedd hi'n gallu rhannu ei frwdfrydedd. Deallodd Mira, a chododd ei llais i'r Lingua allu cofnodi ei geiriau. 'Ifanc iawn,' ailadroddodd, a deallodd y Lingua yr hyn roedd hi'n ei ddweud i allu ei gyfieithu'n syth i'r Llyw.

Roedd y Llyw wedi ceisio'i chael i siarad Saesneg neu Ffrangeg ag e heb fynd drwy rwystr diangen y Lingua, er mor sydyn roedd gallu hwnnw i drosi ar amrantiad. Roedd Mira'n weddol rugl yn y ddwy iaith bellach a doedd dim rheswm iddi ddal i ddefnyddio'r teclyn cyfieithu ar y pryd.

'Pymtheg? Un ar bymtheg? Beth ddwedet ti?'

'Tua hynny,' cytunodd Mira.

Gwyddai'n iawn fod y ferch, os mai hi oedd hi, yr un oed â Cai. Gwyddai fod Cai'n un ar bymtheg, ac fe wyddai lawer mwy na hynny am y bachgen ar ôl ei sgyrsiau ag Anil. A thrwy hynny, roedd Anil wedi sôn am y ferch. Roedd hi'n amlwg nad oedd hi'n perthyn i'r Ni. Gwallt golau oedd ganddi, yn un peth. Yr un a alwai Anil yn Gwawr. Beth oedd Anil wedi galw'r ddynes arall? Freyja? Roedd honno'n hŷn na hon, yn ei hugeiniau yn ôl Anil, a'r llall wedyn hefyd, yr un y dywedodd Anil mai hi oedd arweinydd yr Ynyswyr, roedd honno'n hŷn o lawer.

Teimlodd Mira gryndod yn mynd drwyddi wrth weld y ferch yn sylweddoli o'r diwedd, wedi i effaith y cyffur gilio, lle'n union oedd hi, beth oedd yn digwydd iddi. Cofiai'n rhy dda yr un ofn yn lledu drwy ei gwythiennau hi ei hun wrth sylweddoli beth oedd yn digwydd iddi. Cofiai gredu ar y pryd ei bod hi wedi marw, a dyna fyddai'n mynd drwy feddwl y ferch hon hefyd.

Doedd yna'r un arswyd yn debyg iddo.

'Mae'n edrych yn debyg fod y drydedd daith yn llwyddiant.' Rhwbiodd y Llyw ei farf. 'Gad inni obeithio nad oes unrhyw gyfrinachau bach anffodus yn perthyn i *hon*,' meddai, a theimlodd Mira'r gic yn ddwfn yng ngwaelod ei stumog.

Er bod blynyddoedd maith rhwng y daith gyntaf a'r ail, doedd hi ddim wedi gallu rhoi'r gorau i boeni amdano, ei Anil annwyl, ar ei ben ei hun yng nghanol anwariaid. Ei phobl ei hun, ie, ond ei phobl ei hun a oedd wedi bod mor annioddefol o ddidostur wrth ei phlentyn gwahanol hi.

Roedd colli'r baban bach wedi gwneud pethau'n waeth, wrth gwrs. Wnaeth e ddim goroesi'r daith ar yr awyren. Er i bobl y Llyw geisio'i ddadebru, rhaid bod rhywbeth wedi mynd o'i le adeg yr enedigaeth, achos doedd dim bywyd yn ei gorff bach erbyn iddyn nhw gyrraedd Afallon.

Pan ddechreuodd y Llyw ymserchu ynddi a hithau'n dal

yn ei chawell, ac wedyn pan aeth â hi i'w blasty ar ôl iddyn nhw gael defnydd da ohoni, bu Mira'n ddigon ffôl i ddechrau breuddwydio y gallai Anil fyw yn Afallon gyda hi. Efallai hyd yn oed na fyddai'n rhaid i neb wybod ei fod e'n wahanol. Gallai fyw'r bywyd gwell roedd hi'n ei fyw. Ni roddodd y gorau i'w gobaith dros y blynyddoedd y bu'r gwyddonwyr yn paratoi'r daith.

A daeth Anil. A gwnaeth y gwyddonwyr astudiaeth fanwl o Anil.

Pam y bu i Mira fod mor ffôl â gobeithio? Ni fu'r Llyw fawr o dro cyn gorchymyn i'r Chwilod afael ynddo a'i dywys i wersyll y caethion ar ei ben. Ceisiodd Mira gysuro ei hun y gallai'r Llyw fod wedi lladd Anil yn y fan a'r lle. Ond cysur gwan iawn oedd hynny.

A nawr, dyma un arall yn wynebu'r anwybod mawr, nid bod ganddi unrhyw lais yn newis y Llyw y tro hwn. 'Benywaidd, ifanc,' oedd y cais. 'I ychwanegu at linach yr Afalloniaid.'

Gwyliodd Mira'r ofn pur ar wyneb y ferch ym mol yr awyren wrth i un o'r Chwilod gamu i mewn i'r ystafell i chwistrellu rhagor o gyffur i'w chorff. Gwyliodd hi'n llithro i drwmgwsg ar ei gwely wrth i'r Chwilen osod y dwfe drosti'n ofalus.

Maddau i mi, Anil, meddai Mira eto yn ei phen, fel y gwnaethai gannoedd o weithiau eisoes.

7

B ARN AMBELL UN o'r Ni oedd mai Bwmbwm oedd wedi
lladd Gwawr ac wedi cuddio'i chorff a llunio stori'r aderyn
i guddio'i drosedd. Doedd Gwenda ddim yn credu hynny am
funud: prin fod gan Bwmbwm ddigon o ddychymyg i fod
wedi creu stori mor lliwgar.

Ond roedd y gwirionedd a adawyd ar ôl wedi barnu nad
Bwmbwm oedd yn gyfrifol am ddiflaniad Gwawr yn fwy nag
y gallai Cai nac Olaf ei oddef. Ciliodd Cai i'w ystafell, ond
arhosodd yr Ynyswyr eraill wrth y bwrdd mawr ar ganol y
stryd i Gwenda a Freyja gael eu gwynt atynt.

'Welodd neb ddim byd?' gofynnodd Freyja'n ddiddeall.
'Weloch chi ddim awyren yn hedfan dros y dre?'

'Dim byd,' meddai Olaf. 'Ro'n i'n pysgota wrth y bont, a
weles i ddim byd o gwbwl.'

'Rhaid ei fod e'n gweud celwydd…' Rhwbiodd Gwenda ei
hwyneb. Doedd dim byd yn gwneud synnwyr. Byddai rhywun
wedi gweld awyren yn hedfan i mewn dros y môr.

'Neu ei bod hi wedi cyrraedd o gyfeiriad gwahanol,'
cynigiodd Freyja. 'Digon posib y gallai ddod o'r gogledd neu'r
gorllewin heb i ni weld.'

'Na chlywed?' holodd Olaf. Cofiai'r grŵn pan aed ag Anil.

Ond gwyddai hefyd nad oedd e'n sŵn annaearol chwaith. Ac roedd dwy filltir a mwy rhwng y dref a'r caeau.

'Pam nad aethon nhw â Bwmbwm hefyd?' holodd Gwawr.

'Dim ond Anil o'n nhw eisie tro dwetha,' ychwanegodd Freyja. 'Ond pam dewis Gwawr?'

Amneidiodd Olaf draw at lle roedd Bwmbwm yn dal i eistedd a'i ben yn ei ddwylo. 'Taset ti'n gorfod dewis rhwng Gwawr a hwnna i'w groesawu i dy awyren,' meddai, 'dwi'n fodlon betio mai Gwawr ddewiset ti hefyd.'

Tynnodd Olaf ei fysedd drwy ei wallt yn rhwystredig.

'Cachu!' gwaeddodd, nes bod Bwmbwm, hyd yn oed, yn codi ei ben i edrych i'w gyfeiriad. Cododd Olaf ar ei draed gan droi'r fainc roedd e wedi bod yn eistedd arni. 'Cachu cachu cachu!' gwaeddodd yn uwch a rhuthro am dawelwch y tŷ roedd e'n ei rannu gyda'r Ynyswyr eraill.

Estynnodd Gwenda ei llaw am un Freyja ac anadlu'n ddwfn.

*

Anelu am ystafell Gwawr wnaeth Olaf. Ni allai feddwl am fynd i unman arall. Roedd e'n chwilio am ateb. Ond pa ateb oedd yn bosib? Roedd hi wedi'i chipio gan rywun a'i chludo i rywle. Ni allai ond gobeithio ei bod hi'n fyw. Y tu hwnt i hynny, doedd dim yn y byd y gallai ei wneud. Cofiai sut roedd y lleill wedi ceisio cael Cai i weld pa mor bwysig oedd bwrw ymlaen â'i fywyd wedi i Anil fynd, gan nad oedd yr un ohonynt yn credu y gwelen nhw Anil byth eto, er na leisiodd neb hynny wrth Cai wrth gwrs.

A dyma fe'n wynebu'r posibilrwydd creulon na welai e byth mo Gwawr eto, na welai'r un ohonyn nhw hi eto. Dyna wers iddo am fod eisiau gweld Cai yn anghofio am Anil. Sut ar wyneb daear y byddai Cai wedi gallu gwneud hynny, a sut ar wyneb daear y byddai Olaf yn gallu anghofio am Gwawr?

Ond wrth nesu at ei hystafell, gallai weld ffurf rhywun heibio i ymyl y drws cilagored. Ystyriodd Olaf droi ar ei sawdl a mynd i'w ystafell ei hun i dorri ei galon. Ond yn lle hynny, gwthiodd y drws ar agor led y pen, a gweld Cai yn edrych ar bentwr o bapurau ar ei arffed.

Heb ddweud gair, eisteddodd Olaf wrth ei ymyl. Estynnodd Cai y dalennau iddo eu gweld. Papurau roedd Gwawr wedi'u llenwi â ffeithiau am eu cartref newydd oedden nhw, gwaith ymchwil a wnaethai yn y llyfrgell fawr ar y bryn: enwau blodau, anfeiliaid a gollwyd yn y Diwedd Mawr, enwau lleoedd ac afonydd yr ardal. Wedyn, trawsgrifiadau o Ddyddiadur Mam Un, tudalennau ar dudalennau o hanes dros ganrif oed. A llythyrau wedyn, cyfeiriad y tŷ hwn yn Aberystwyth ar frig y dudalen, a chyfarchiad wedyn.

Edrychodd Olaf arnyn nhw. Llythyrau at ei rhieni a'i brodyr oedden nhw, ac at ei mam-gu. Adroddent hanes eu taith, ac am orchestau a thrychinebau'r chwe mis diwethaf. Soniai Gwawr yn ganmoliaethus am y Ni a hwylustod y cyd-fyw rhwng y ddau lwyth.

'Wedest ti wrtha i am anghofio am Anil,' meddai Cai. 'Dwi i fod i anghofio am Gwawr nawr hefyd, ydw i?'

'Beth y'n ni'n mynd i neud?' sibrydodd Olaf, a'r nerth wedi ei adael. Theimlodd e erioed fel hyn o'r blaen.

'Do's dim byd allwn ni neud,' meddai Cai. 'Dim byd o gwbwl.'

Gafaelodd yn y garreg oedd ar y sil ffenest. Gwawr wirion, pam 'nest ti anghofio rhoi hon yn dy boced heddiw?

*

Cylchodd yr awyren ddwy waith cyn cael caniatâd i lanio ar y llain ar gyrion Afallon. Gwyliai'r Llyw y cyfan ar ei sgrin a ddangosai ffrwd fyw o'r caban awyr ac o'r tu mewn i'r awyren. Estynnodd Mira ddilledyn arall o'r fasged olchi a'i blygu'n ofalus cyn ei osod ar y pentwr glân o ddillad gwynion y Llyw. Cododd grys arall a'i ddal at ei thrwyn i wynto'r un arogl rhosynnau ag a dreiddiai drwy'r golch yn gyfan. Beth bynnag am weddill ei chaethiwed, ni flinai ar y glendid nefolaidd a berthynai i fywyd yn Afallon o'i gymharu â budreddi'r pridd a'r llaid a lynai'n barhaol at grwyn y Ni.

Doedd y Llyw prin wedi tynnu ei lygaid oddi ar y sgrin. Dyma'r unig daith allgyfandirol a fu ers blwyddyn gron. Bu'r daith ddiwethaf, i nôl Anil, yn dreth ar yr awyren solar, yr unig un a allai gynnal taith bell i fannau eraill yn y byd. Oedd, roedd y criw technegol yn gweithio ar rai eraill o hyd, ond teithiau i fannau agosach a gâi'r flaenoriaeth ar y cyfan, er gwaethaf ysfa'r Llyw i fwrw ei rwyd dros fannau eraill lle roedd argoel o bobl.

Gwelodd Mira, dros ei ysgwydd, y Chwilod yn eu lifrai

sgleiniog du yn tynnu'r gwely ar olwynion allan o fol yr awyren.

'Bydd yn garedig wrthi,' meddai Mira cyn iddi allu atal ei hun. Daliodd ei gwynt. Gwyddai ei lle yn ddigon da bellach.

Trodd y Llyw ati'n wên o glust i glust. 'Dyn caredig ydw i,' meddai. 'Fues i erioed yn angharedig wrthat ti?'

Gorfododd Mira ei hun i wenu arno. Dibynnai ei bywyd ar adael iddo barhau i'w charu. Ond roedd dagrau'n pigo corneli ei llygaid.

Trodd y Llyw yn ôl at y sgrin ac at y ferch ddiymadferth ar y gwely olwynion.

8

CYN IDDI AGOR ei llygaid, daeth sŵn i glustiau Gwawr. Sŵn cerddoriaeth o ryw fath, ond doedd e ddim yn debyg i unrhyw beth y gallai llais na ffidil na gitâr ei atgynhyrchu. Roedd hi'n gyfarwydd â'r rheini ar yr Ynys, ond roedd y sŵn newydd hwn yn gyfuniad o chwibanau a chrafiadau metel a gwynt drwy bibau a lleisiau'n gwneud pethau rhyfedd… ond roedd canu ynddo hefyd.

A dweud y gwir, roedd y cyfan mor hynod o brydferth nes gwneud i'w chalon roi llam. A phan ddeallodd yn y diwedd beth oedd yn gwneud y sŵn, bachodd ei gwynt yn ei gwddw. Roedd hi wedi darllen amdano, wedi ceisio ei ddychmygu, wedi gwneud synau tebyg drwy chwibanu a chwythu drwy ei dwylo.

Agorodd Gwawr ei llygaid i fyd lle roedd adar!

Uwch ei phen, roedd lliain tenau y gallai weld y nenfwd drwyddo, ac o boptu iddi, yr un lliain ysgafn a'r haul yn golchi drwyddo. Y tu hwnt iddo gwelai ffenestri, nid rhai bach y tro hwn, ond rhai mawr, braf, cwarelog. Ac yn yr ystafell, wrth iddi godi ei phen y mymryn lleiaf oddi ar y gobennydd, gwelai gadair freichiau fawr, foethus, a chwpwrdd dillad pren, a bwrdd bychan ger ei gwely, a'r cyfan mor lân, mor berffaith yr olwg.

Gadawodd i'w phen gwympo'n ôl ar y gobennydd eto, a chau ei llygaid drachefn, er mwyn nofio yng nghanu'r adar. Gadawodd iddo olchi drosti, ac anadlodd yn ddwfn i'w ddrachtio. Llenwai ei phen, yn ddwsin o wahanol alawon a ddôi at ei gilydd i greu un symffoni berffaith. Ai dyma oedd yr hen bobl yn ei glywed bob bore cyn y Diwedd Mawr? Ac os taw e, sut nad oedd hynny'n ddigon?

Ble ydw i? meddyliodd wedyn. Ble mae'r lle bendigedig yma sy'n llawn o ganu adar? A sut yn y byd y dois i yma?

Dechreuodd gofio. Yr awyren. Teithio drwy'r awyr, i fyny mor bell. Yr arswyd o sylweddoli hynny. Cofiodd y pigiad. Yna dim. Dim byd o gwbl. Tan hyn, tan y canu adar.

Cyn iddi feddwl rhagor, clywodd ddrws yn agor. Credai mai un o'r milwyr yn ei arfwisg ddu oedd yno eto i'w phigo i gwsg, a cheisiodd godi i wrthod y brechiad. Ond dynes oedd yno, mewn gwyn, yn gwenu arni fel angel.

'Pwy…?' dechreuodd Gwawr, cyn sylweddoli nad oedd ei thafod hi'n gweithio fel y dylai.

Gwenodd yr angel ac estyn teclyn bach crwn ar flaen ei bys i'w chyfeiriad. Ciliodd Gwawr rhagddi, rhag unrhyw wenwyn arall a fyddai'n trechu ei chorff. Ond roedd rhywbeth am ei gwên ddisiarad a wnâi i Gwawr ymddiried ynddi ar yr un pryd. Gadawodd i'r ddynes osod y teclyn yn ei chlust.

'Y Lingua. Teclyn cyfieithu,' eglurodd y ddynes ar ôl ei osod. Doedd ei gwefusau ddim yn dweud hynny. Yn hytrach, dôi llais o'r teclyn yn ei chlust bron ar yr un pryd ag y dôi'r geiriau o wefusau'r ddynes. Rhaid bod y teclyn yn eu cyfieithu wrth iddi siarad.

'Maen nhw wedi bod yn hanfodol yn y fan hon dros y blynyddoedd,' meddai'r ddynes wedyn. 'Rydyn ni'n genedl ddwyieithog yma yn Afallon, hyd yn oed cyn y rhyfel olaf. Rydyn ni bron â pherffeithio'r dechnoleg bellach. Ac fel y gweli di, mae Cymraeg yn rhan o'r arlwy.'

Cododd Gwawr ar ei heistedd. Gallai weld y wlad y tu allan i'r ffenest: yr ochr draw i ffens fawr, roedd caeau gwyrddion a chaeau eraill wedyn yn llawn o gnydau o wahanol liwiau. Ac ar gyrion y caeau, roedd waliau'n ymestyn draw i'r chwith, ac adeiladau mawr modern.

'Ble ydw i?'

'Yn Afallon,' meddai'r ddynes heb ollwng ei gwên. 'Fe fyddi di'n hapus yma.'

'Dwi eisie mynd adre,' meddai Gwawr. 'Dwi eisie mynd adre nawr, allwch chi ddim...'

'Wyt, siŵr,' meddai'r ddynes ar ei thraws. 'Nawr, rwyt ti eisie mynd adre.' Yna, roedd hi'n estyn ei llaw i Gwawr. 'Dere, i ti gael gwisgo rhywbeth mwy cyffyrddus na'r dillad chwyslyd 'na. Mae 'na gawod yn yr ystafell ymolchi drwy'r drws yn y pen pella, a dillad ar y gadair.'

Gwelodd Gwawr bentwr o ddillad gwyn. Ystyriodd eto: ydw i'n angel? Ai marw yw hyn?

'Wedyn?' mentrodd. 'Beth ydw i fod i neud wedyn?'

'Beth bynnag hoffet ti neud,' atebodd y ddynes. 'Rwyt ti'n rhydd i fynd lle bynnag hoffi di yn Afallon, siarad gyda phwy bynnag hoffi di, a neud beth bynnag hoffi di.'

'Yn cynnwys mynd adre?' holodd Gwawr, yn llawn arswyd. 'Dwi eisie mynd adre.'

'Gwawr,' meddai'r ddynes, gan osod ei dwylo ar freichiau'r ferch, 'fe ddoist ti yma mewn awyren. Fe alli di fynd yn ôl mewn awyren, yr un mor hawdd. Ond beth am weld beth sy 'ma yn gynta. Mae'n braf cael dy nabod di. Mira ydw i.'

Estynnodd ei llaw i Gwawr.

'Micha?' meddai honno.

'Mira,' cywirodd Mira, gan rowlio'r 'r' Ffrengig.

'Mira,' dynwaredodd Gwawr gan ynganu'r 'r' yddfol yn ysgafn. Estynnodd ei llaw. 'Gwawr…' meddai.

'Ie, dwi'n gwbod,' meddai Mira.

Crychodd Gwawr ei thalcen: sut yn y byd?

Gwenodd Mira arni. 'Dere,' meddai, gan newid y pwnc, 'mae 'na frecwast yn y gegin os wyt ti'n llwglyd. Cig, ffrwythe, bara, llygaid. Beth bynnag hoffet ti.'

'Llygaid?' Edrychodd Gwawr arni'n boenus.

'Llygaid…?' ailadroddodd Mira yn ddiddeall. Ac yna gwawriodd arni. 'O! Wyau dwi'n feddwl! Y Lingua dwl 'ma! Dyw e ddim yn berffaith, fel gweli di.'

*

'Hwren!'

Codi cerrig o un o'r caeau pellaf wrth ffens fawr y drefedigaeth oedden nhw pan sibrydodd Jean-Luc y gair hyll i'w Lingua wrth ei ymyl. Dychrynodd Anil gymaint wrth ei glywed nes iddo sythu ar unwaith a syllu'n hurt ar ei gyd-gaethwas.

'Beth?'

Achosodd yr oedi yn ei waith i'r Chwilen a gadwai lygad ar y tîm caethion, hen gythraul blin o'r enw Jojo, gamu atyn nhw o blith y basgedeidiau o gerrig roedden nhw eisoes wedi'u codi, a tharo'r chwip dros goesau Anil: 'Gweithia!'

Yn ei gwman, ar ôl i Jojo gamu i gywiro rhyw gamwedd arall ymhlith caethion eraill, parhaodd Jean-Luc i fwmian dan ei wynt wrth godi'r cerrig llychlyd yn ei ddau-ddwbl a'u taflu i'r fasged rhyngddo ac Anil.

'Hwren y Llyw. Dy fam di yw hi. Dyna glywais i.'

Ac aeth ati i ymhelaethu ar yr hyn roedd ei chwaer wedi ei ddweud wrtho y noson cynt wrth sleifio at ddrws y caban i roi tamaid o gig carw iddo: cafodd damaid blasus o fân siarad i fynd gyda'r cig.

''Nes i sylwi dy fod ti wedi cael dy drin yn well na'r gweddill ohonon ni. Yn ôl ar y dechrau, pan gyrhaeddest ti. Cael dy ffafrio ar gyfer y gwaith hawdd i gyd.'

Cymharol oedd popeth, ac roedd gwaith yn y ceginau yn cael ei gyfrif yn hawdd, er mai chwysu am ddeg awr y dydd roedd e wedi gorfod ei wneud yn y fan honno hefyd, i sicrhau bod pob un o uwch-swyddogion y drefedigaeth a'u teuluoedd yn cael eu bwydo. Ond roedd rhagfarn bob amser yn ei chael hi'n hawdd twyllo'i hun.

'Aros di nes ceith y lleill wbod!'

'Jean-Luc, wnei di ddim...!' dechreuodd Anil.

Ond gwyddai'n iawn na châi drugaredd. Roedd llawer o gydymdeimlad yng ngwersyll y caethion tuag at wahanol gyfyngderau ei gilydd. Gwelodd Anil sawl gweithred fach o garedigrwydd a dyngarwch, ond doedd e ddim wedi bod ar yr ochr arall i'r un o'r gweithredoedd bach hynny. Roedd e'n ormod o Arall i'r Eraill hyd yn oed.

Poerodd Jean-Luc ar y llawr wrth draed Anil yn lle ei ateb.

*

Agorodd Gwawr y drws a llifodd yr haul i mewn i'r ystafell. Edrychodd allan ar wlad wyrddach nag a welodd erioed, a brithwaith bras o wahanol wyrddau yn ymestyn hyd y gwastadedd o'i blaen tuag at y wal uchel filltir dda i ffwrdd.

Camodd allan, a llanwyd ei phen gan ganu adar, yn gryfach, yn berach, yn yr awyr agored. Trodd i edrych y tu ôl iddi ar y coed aeddfed a gysgodai ymyl y bwthyn carreg lle roedd hi wedi bod ers iddi gyrraedd Afallon. Y tu ôl iddi roedd y dref.

Galwodd Mira ei henw, ac ni chlywodd Gwawr ar unwaith am fod canu adar yn llenwi ei chlustiau gan bylu pob dim arall. Daeth yn ymwybodol fod Mira wedi ailadrodd ei henw. Trodd ei phen.

'Cer i ben y bryncyn bach 'na, ac fe weli di'r cyfan,' meddai Mira. 'Afallon i gyd. Mae tir y drefedigaeth i gyd i'w weld o'r fan honno. Tref fach o ddeng mil o bobol oedd yn arfer bod yma. A rhyw bum mil ohonon ni sy 'ma nawr. Felly digon o le i bawb.'

'Ac yn lle...?' Teimlad od oedd peidio â gwybod lle ar wyneb y ddaear roeddech chi. Gwyddai Gwawr fod yr awyren a gariodd Anil wedi dychwelyd dros Fôr Iwerddon, felly os nad Iwerddon, lle oedd wedyn? 'America?' gofynnodd yn betrus.

'Canada,' atebodd Mira. 'Gogledd Quebec a bod yn fanwl gywir. Ffrangeg a Saesneg yw'r ieithoedd swyddogol. Mae America'n anghyfannedd fwy neu lai, er bod ambell boced o bobl mewn mannau, yn byw bywyd cyntefig iawn. Dyma'r brif ganolfan ar gyfandir gogledd America. Dechreuodd pobl ymgasglu'n fuan iawn ar ôl y Diwedd Mawr, ac maen nhw wedi llwyddo'n rhyfeddol er gwaetha popeth, fel y gweli di.'

Aeth Gwawr i ben y bryncyn, a throi i edrych ar y dref. O'i blaen roedd rhesi ar resi o dai carreg glân a thrwsiadus, a choed ar bob ochr i strydoedd taclus a hardd. Gallai weld pobl Afallon yn teithio ar feiciau ar eu hyd, ac ambell un yn teithio yn y ffordd ryfedd honno a welodd gan y Chwilod yng Nghymru: ar ryw fath o blatfform hofran. Symudent yn ddidrafferth o fan i fan heb i'r sawl a'u gyrrai orfod gwneud unrhyw ymdrech.

'Fe ddalion nhw afael ar eu technoleg,' meddai Mira.

'Nhw?' holodd Gwawr. Dyna'r eilwaith i'r ddynes ddweud 'nhw' yn lle 'ni'.

'Ni 'te. Fy nghyndeidiau.'

Yr eiliad nesaf, roedd Mira wedi troi ei chefn a newid y pwnc. 'Dere, mae 'na lawer iawn i'w weld!'

'Aros, Mira!' galwodd Gwawr arni. 'Y tro dwetha ddaethoch chi i Gymru, fe gipioch chi un o fy ffrindiau. Anil. Dyna sut ry'ch chi'n gwbod fy enw i, pwy ydw i.'

Stopiodd Mira yn ei hunfan, ond wnaeth hi ddim troi i wynebu Gwawr.

'Dere,' sibrydodd.

'Ble ma Anil?'

Am eiliad, wnaeth Mira ddim ateb. Yna, roedd hi wedi troi at Gwawr yn wên o glust i glust.

'Gei di'i weld e cyn hir. Mae e i ffwrdd ar daith astudio. Nawr, wyt ti eisiau gweld rhyfeddodau Afallon, neu beth?'

*

Gwylio'r sgrin roedd y Llyw pan aeth Mira i mewn ato. Doedd e ddim fel petai'n gwneud dim arall ers i'r ferch yma gyrraedd o Gymru. Ar y sgrin roedd Gwawr yn y pwll nofio mawr yn y dref gyda dwy o ferched yr un oed â hi, yn mwynhau gwres y dŵr a rhyfeddu at ei lesni. Disgleiriai'r haul drwy'r ffenestri mawr a lenwai un wal gan gynnig golygfa arall o'r drefedigaeth ar ei gorau i'r dieithryn o'r ochr arall i'r môr.

'Wneith hi ddim anghofio,' meddai Mira.

'Digon hawdd dweud rhyw gelwydd,' meddai'r Llyw yn siarp gan wybod yn iawn am beth roedd hi'n sôn. Am bwy roedd hi'n sôn. 'Fe ddwedest ti un da dy hun. Taith astudio. Hm. Fe fydd raid i ni gofio hwnna.'

Am faint fydd angen ei gofio, meddyliodd Mira'n chwerw. Go brin y câi'r ferch fwynhau rhyw lawer ar Afallon cyn dod wyneb yn wyneb â'r rheswm dros ei chludo hi yma.

Mentrodd Mira eto, fel y gwnaethai droeon. 'Plis, wnewch chi…'

'Ti,' gorchymnnodd y Llyw fel y gwnaethai droeon. '*Tu, pas vous!*' 'Ti', nid 'chi'.

'Plis, wnei di ailystyried? Un gair, a gallet ti ryddhau Anil.'

'Am ba bris?' taranodd y Llyw, a throi ati â mellt yn ei lygaid. Roedd Mira'n casáu ennyn ei lid, ond roedd yn rhaid iddi drio, un waith eto, ceisio dwyn perswâd arno. 'Fel rydw i wedi dweud dro ar ôl tro ar ôl tro nes bod fy wyneb i'n las, thâl hi ddim i fi ddangos gwendid. Fe wnes i hynny drwy wrando ar dy gelwyddau di. Teithio hanner ffordd o gwmpas y byd dan rith dy dwyll di. Byth eto. Beth dwyt ti ddim yn ei ddeall am hynny?'

'Ond pwy fyddai'n gwybod? Gallet ti ddweud rhyw gelwydd.'

'Mae Anil yn fyw!' Gafaelodd y Llyw yn ei breichiau, i geisio ei hargyhoeddi yn hytrach na'i threchu. 'Yw hynny ddim yn ddigon i ti? Mae dy blentyn di'n fyw! Fe fydde unrhyw blentyn arall tebyg iddo wedi'i ladd bellach, yn unol â Deddf y Genedigaethau Anffurfiedig. Honno, neu'r Ddeddf Brad.'

Dy ddeddf di, meddyliodd Mira, y ddeddf i wrthsefyll unrhyw beth nad yw at dy ddant di.

'Dere.' Roedd y Llyw yn mwytho'i gwallt, yn ei thynnu i'w goflaid. 'Fi sy wedi achub dy blentyn di,' meddai wedyn, a Mira'n synnu unwaith eto at allu grym i wneud i'r sawl a'i meddo dwyllo'i hun yn wyneb pob arwydd i'r gwrthwyneb. Ei dwyllo'i hun i gredu ei fod e'n gallu twyllo pawb arall hefyd. Gwyn yn ddu a du yn wyn, a dim byd o gwbl yn llwyd.

Tynnodd y Llyw hi ato, ac ildiodd Mira am nad oedd ganddi ddewis.

9

Dechreuodd hi fwrw glaw gyda'r nos. Welodd Cai erioed law tebyg iddo. Glaw fel creadur byw yn eu chwipio'n ddidrugaredd, yn slasio popeth, yn ddyn, yn anifail, yn goeden neu'n garreg. Ar dafod y gwynt, hyrddiai i mewn o'r môr fel pe bai'r ddaear ei hun yn ceisio ysgwyd yn rhydd o'r gadwyn annelwig a'i cadwai yn ei lle yn y bydysawd.

Doedd hi ddim yn gwneud synnwyr i'r un ohonyn nhw fynd allan. Ar ôl sicrhau bod y cŵn a'r ceffylau wedi'u cloi yn eu cewyll a'u stabl mor ddiogel â phosib, doedd dim amdani ond cadw dan do, a gobeithio na wnâi'r ddrycin ormod o niwed i'r cnydau yn y caeau, a'r cychod bach yn yr harbwr, a'r siediau gwymon ar y traeth a'r llechi ar y to a'r morglawdd newydd rhwng y dref a'r môr.

'Beth fydd, fydd,' meddai Gwenda.

'Doethineb goramlwg,' mwmiodd Olaf, gan edrych allan ar yr awyr ddu a dail y coed yn chwifio. 'Ma rhywun lan 'na sy ddim yn hoff iawn ohonon ni.'

'Bydde Gwawr yn gweud mai Mam Un sy lan 'na,' meddai Cai wrth ei ysgwydd. 'O'n i'n arfer tynnu ei choes hi am greu duw ohoni.'

Unwaith eto, roedd Cai'n difaru pob gair croes a fu rhyngddo a'i ffrind gorau yn y byd i gyd.

'Ti'n meddwl daw hi'n ôl?' holodd Olaf.

Rhoddodd Cai ei law ar ysgwydd ei ffrind. 'Wrth gwrs y daw hi'n ôl. Os oes rwbeth dwi'n siŵr ohono, fe ddaw Gwawr 'nôl. Dwi'n ei deimlo fe.'

*

Y noson honno, fe gredai'r Ynyswyr fod y diwedd wedi dod. Ni allai Cai gredu ei lygaid wrth iddo syllu ar y ffordd roedd y coed y tu allan yn plygu yn y corwynt. Coed talsyth, trwchus, fel clai yn llwybr y gwynt. Ofnai Olaf i'r gwydr yn y ffenest dorri, gwydr a oedd wedi goroesi'r Diwedd Mawr a thraul y blynyddoedd. Gallai chwalu yn eu hwynebau ar amrantiad.

Ond roedd rhywbeth yn tynnu Olaf at y ffenest o hyd, fel pe na bai'n poeni llawer beth a ddigwyddai iddo. Roedd y storm yn ei ddenu i'w gwylio'n gwneud ei gwaethaf i'r dref. Gwyliodd hi'n codi'r bonion coed roedden nhw'n eu defnyddio fel cadeiriau y tu allan wrth y tân. Gwyliodd hi'n chwythu slwj a adawyd gan farwydos y tân a oedd wedi hen ddiffodd yn y glaw fel pe na bai'n ddim mwy na blewyn ar dalcen. Gwyliodd hi'n taro llechi oddi ar y toeau gyferbyn, crash crash crash ar lawr mor ddidaro â mes oddi ar dderwen.

Gadawodd Cai iddo wylio. Doedd e ddim am weld y dinistr hyd nes y byddai'n rhaid mynd allan iddo, wedi i'r cyfan ostegu. Ac fe ddôi gosteg: pasio a wnâi pob storm.

'Pedwar,' meddai Freyja gan godi ei phen o'r lle tân lle bu'n ceisio cynnal digon o fflam i afael yn y prennau bach oedd ganddi yno. 'Fe a'th chwech yn bedwar.'

'Paid!' gorchmynnodd Gwenda o'i chadair, lle roedd hi'n gwneud ei gorau i ddarllen llyfr o'r llyfrgell yng ngolau tortsh weindio. 'Dim o'r fath siarad. Fe ddaw Gwawr yn ei hôl. Ac fe ddaw Anil yn ei ôl. Yn y cyfamser, ry'n ni'n mynd i neud ein gore glas i ddal i fynd fan hyn yn wyneb popeth. 'Na'r unig ffordd!'

*

Yn y bore, roedd hi'n dal i fwrw glaw, ac i chwythu, ond roedd y gwaethaf wedi pasio. Cai fentrodd allan gyntaf. Edrychodd o'i gwmpas ar fyd lle roedd popeth mewn llefydd gwahanol i lle roedden nhw'r diwrnod cynt. Daliai'r tai i fod yn yr un lle, ond roedd yr olwg dila ar eu hwynebau'n wahanol iawn erbyn hyn: roedd ffenestri wedi chwalu, llechi wedi cwympo, a'r rhaffau a hongiai o un pen i'r stryd i'r llall er mwyn sychu dillad, a chadw bwyd yn ddiogel rhag llygod, wedi torri'n rhydd ac yn chwifio'n ddibwrpas yn olaf chwyth y gwynt. Roedd pentyrrau mawr o fonion coed a lludw a holl lanast rhydd y stryd wedi'u sgubo i gorneli, a cherrig mân o'r môr wedi casglu mewn cilfachau.

Er hynny, rhaid bod y morglawdd wedi achub y gwaethaf o'r llifogydd o'r môr gan nad oedd y strydoedd canol dan ddŵr. Cerddodd Cai draw'n agosach i gyfeiriad y môr.

'Hei!' galwodd Olaf ar ei ôl a dod allan o'r tŷ gan wthio'i fraich i lawes cot. 'Dwi'n dod gyda ti.'

Er bod cerrig mân, a rhai mwy o faint, wedi'u sgubo i'r ffordd at y môr, doedd dim dŵr llonydd, a gallent longyfarch eu hunain fod y morglawdd ar y prom wedi dal. Yno, edrychai fel pe bai rhyw fabi-gawr wedi cael pwl o strancio, a rhwng y morglawdd, a'r cerrig ychwanegol a chwydodd y môr dros nos, doedd dim ffin bellach rhwng y ffordd o'u blaenau a'r traeth. Doedd dim modd gweld bod ffordd wedi bod yno o'r blaen. Os oedd un noson yn gallu gwneud cymaint o wahaniaeth, meddyliodd Cai, sut le fyddai yma ymhen canrif arall, mil o flynyddoedd, deng mil?

Ceryddodd ei hun am feddwl meddyliau fyddai Gwawr yn llawer mwy tebygol o'u meddwl nag yntau. Saethodd gwayw o ofn, neu o hiraeth, drwy ei ymysgaroedd unwaith eto.

'Dere i weld sut le sy 'na gyda'r anifeiliaid,' galwodd Olaf.

Dilynodd Cai ef drwy'r dref i gyfeiriad Plascrug, lle roedd cewyll y cŵn a stabl y ceffylau. Cyn hynny rhaid oedd archwilio'r siediau lle roedden nhw'n cadw popeth o bicelli i wair i'r ceffylau; potiau i hau llysiau ifanc a chrymanau a luniwyd i fedi cnydau; rhaffau a rhwyfau; y storfa blastig a'r basgedi, bagiau, gwydrau o bob math a adawyd gan bobl heb ofal yn y byd, neu felly yr ymddangosai i Cai weithiau: pobl debyg iddo fe cyn iddo adael yr Ynys.

Roedd Cai wedi ceisio meddwl am adre, am ei rieni a Seimon, ei frawd. Cofiai fel y byddai Gwawr yn arfer cyfaddef ei bod hi'n hiraethu am adre weithiau, ar funud segur, ac yn synfyfyrio pryd y caen nhw ddychwelyd. A chofiodd sut roedd e'n arfer ei thawelu drwy ddweud nad oedd e'n meddwl felly, nad oedd e'n deall ei hiraeth hi, a bod digon i'w cadw'n brysur heb fynd i feddwl rhyw feddyliau meddal am adre. Teimlodd yr euogrwydd yn chwyddo o'i ymysgaroedd, yn bygwth ei fygu: sut y gallai fod wedi bod mor greulon wrthi, yn gwadu teimlad roedd e lawn mor gyfarwydd ag e? Gwyddai, pe bai wedi cyfaddef, y dôi'r cyfan allan, ei holl deimladau o hiraeth am bawb, am bopeth, a bellach roedd Gwawr ei hun yn rhan o'r un hiraeth mawr.

''Esu mawr!' Clywodd lais Olaf o'i flaen.

Roedden nhw wedi cyrraedd y siediau – neu lle roedd y siediau'n arfer bod: bellach, gorweddent yn un cawdel o bren a metel yn gymysg â'r hyn roedden nhw'n arfer ei gynnwys. Dros gannoedd o lathenni, gorweddai holl offer a deunydd gweithio'r dref yn bentyrrau di-drefn. Cymerai wythnosau i'w casglu at ei gilydd.

Saethodd ci ar draws eu llwybr yn llamu'n wyllt ar ôl ci arall i gyfeiriad y bont, a rhyddid.

'Yr anifeilied!' gwaeddodd Cai mewn arswyd.

O ble y safai, gallai weld bod waliau cytiau'r cŵn, a'r prennau a ddaliai'r cewyll at ei gilydd, yn falurion. O leia roedd y stabl carreg i'w weld yn dal ar ei draed, a phrennau mawr y drysau'n dal yn gyfan.

'Dere, awn ni i rybuddio'r lleill,' meddai Olaf. 'Ond gobeitho bod y Ni wedi ca'l nosweth dda o gwsg,' ychwanegodd, 'achos ma'n nhw, fel ninne, yn mynd i fod wrthi am wthnose yn rhoi trefn ar yr holl annibendod.'

'Dyna'r lleia o'n probleme ni,' atebodd Cai wrth droi'n ôl am ganol y dref. 'Os yw'r cŵn i gyd wedi dianc, do's dim cig 'da ni. A heb gig, ni'n mynd i lwgu.'

*

Yn syth ar ôl i Cai ac Olaf ddychwelyd at yr Ynyswyr a'r Ni, fe drefnodd Gwenda grwpiau i fynd i geisio hel y cŵn yn eu holau, a grwpiau eraill wedyn i ddechrau hel yr offer oedd wedi'i chwythu blith draphlith drwy'r dre. Aeth Freyja a Pega i gyfeiriad y caeau i archwilio'r difrod yn y fan honno, a bob o fwa a saeth a llwyth o raffau ar gefnau'r ddwy i geisio dal neu ladd unrhyw gi y digwyddent ei weld ar eu taith.

Daeth rhagor o newydd drwg ymhen awr neu ddwy. Pan aeth Gwenda i fwydo'r ceffylau, gwelodd fod y drws mawr wedi'i chwalu a'r ddau geffyl, march a chaseg, wedi'i heglu hi oddi yno.

'Ond doedd dim difrod pan edryches i...' dechreuodd Cai, a chystwyo'i hun am beidio â bod wedi mynd i edrych yn iawn. 'Roedd y drws i'w weld yn gadarn.'

'Roedd e ar lawr,' meddai Gwenda'n flin. 'Twll mawr, a dim ceffyl. Shwt na sylwest ti?'

'Y ceffyle yw'n problem leia ni,' ceisiodd Olaf ddod rhyngddyn nhw. 'Fe gawn ni geffyle. Pethe at eto oedd y rheini, pethe i'w ffermio. Ma angen y cŵn arnon ni i swper heno. Ma meddwl am fynd 'nôl i fyta llygod mawr...'

Ni orffennodd ei frawddeg.

'Falle fydd raid i ti roi'r gore i fod yn fwytwr ffyslyd,' rhybuddiodd Gwenda'n sychlyd.

'Ble ma Wotsi a Bwmbwm?' holodd Cai. Roedd rhyw amheuaeth wedi dechrau cyniwair yn ei ben. 'Ydyn ni wedi'u gweld nhw ers ben bore?'

'Twtsyn a Lal a'th gyda Freyja i hela,' meddai Olaf. 'A dwi'n amheus a fydde Bwmbwm wedi mynd gyda'r criwiau eraill i ddal y cŵn.'

Pan ddychwelodd y criw cyntaf, wedi dal tri chi, anadlodd Cai ac Olaf yn fwy rhydd – fe wnâi rywfaint o swper am y dyddiau nesaf. Moethusrwydd oedd meddwl ymhellach na hynny at ailfagu stoc. Ond doedd neb o'r criw wedi gweld Wotsi na Bwmbwm.

A phan ddaeth Freyja, Twtsyn a Lal yn eu holau cyn nos, doedden nhw ddim wedi'u gweld chwaith. Ond roedden nhw wedi sylwi ar olion trol newydd yn y mwd a oedd wedi golchi i lawr i'r llwybr ar waelod y stryd fawr. Olion trol, a llinyn hir o waed yn ei dilyn yn ôl i mewn i'r dre.

'Ac i ble roedd y drol yn mynd?' gofynnodd Gwenda.

'Fe gollon ni'r olion cyn y ffordd i Lanbadarn,' meddai Freyja, 'ond feddylion ni ddim llawer am y peth. Gredon ni fod 'na ryw reswm pam oedd un o'r Ni yn cario rhywbeth gwaedlyd ar drol. Wydden ni ddim fod Bwmbwm a Wotsi ar goll.'

Daeth hi'n amlwg, ar ôl i'r Ynyswyr wneud rhywfaint o waith trwyna o gwmpas y stabl, fod y ceffylau wedi cael eu lladd yno – â phastwn a orweddai rai troedfeddi oddi wrth yr adeilad, yn waed drosto. Roedd rhywun wedi'u llwytho ar drol, ac wedi anelu allan o'r dre. Doedd dim angen gofyn pwy.

Ynghanol yr anhrefn a ddilynodd ddatgeliad Olaf a Cai am ddifrod y storm, roedd Wotsi a Bwmbwm wedi gweld eu cyfle i wneud yn siŵr na fydden nhw'u dau yn llwgu, beth bynnag am bawb arall o drigolion y dref. Roedden nhw wedi mynd ar eu hunion i ladd y ddau geffyl y treuliwyd y fath amser ac egni yn eu hela a'u magu. Daeth diwedd cyn pryd ar y llinach o geffylau gweithgar a'u galluogai i ymestyn eu teithiau i ogledd a de'r wlad. Roedd Bwmbwm a Wotsi wedi gosod eu carcasau ar y drol fawr, ac wedi llwyddo i'w thynnu allan o'r dref i gyfeiriad Llanbadarn.

'I ble fydden nhw'n mynd?' holodd Cai.

'Allan o'r golwg, yn sicr,' barnodd Olaf. 'Ond dyw pryfed cachu byth yn teithio ymhell o'r cachu.'

*

Cragen ddu oedd y plas ers y tân. Estynnai estyll a oedd wedi llosgi'n ddu allan i'r awyr yn hagr, a syllai'r tyllau ffenestri yn wag a diddeall ar y sawl a nesâi ato. Roedd estyll y to wedi disgyn i mewn yn fuan wedi i'r tân losgi drwyddynt, a'r llechi gyda nhw. Prin y gwnâi gartref i lygoden fawr heb sôn am bobl.

Ond roedd y cytiau a'i hamgylchynai bron mor gyfan ag yr oeddent flwyddyn ynghynt. Yn sicr, roedd yr adeilad carreg gwag lle cafodd Cai ei garcharu, a lle wynebodd y ci milain a fygythiodd ei fywyd, yn dal i sefyll er gwaetha'r storm. Anelodd Olaf a Cai i'w gyfeiriad.

Gwyddent i sicrwydd mai dyna lle roedd Bwmbwm a Wotsi. Chymerodd hi ddim llawer iddyn nhw ddilyn olion y gwaed o'r drol yr holl ffordd drwy Lanbadarn ac ymlaen wedyn i'r dyffryn a dorrai dros grib y bryn i'r dyffryn nesaf, lle'r arferai'r plas sefyll. Prin oedd olion yr olwynion erbyn iddyn nhw gyrraedd cyffiniau hen gragen y plas, ond tybiai Olaf a Cai mai dyna lle byddai'r ddau – Bwmbwm yn ôl ar ei dwmpath pathetig, a Wotsi'n galluogi'r hurtbeth i deimlo'n bwerus eto drwy fwydo'i falchder diysgog.

Beth a gâi Wotsi o gynghreirio â'i gyn-unben, ni wyddai Cai. Er ei fod e'n hen ddyn dwl ar sawl ystyr, ac yn llawn o ragfarnau digon ffiaidd, roedd ganddo sawl cell ymenyddol yn fwy na'i gydymaith, ac roedd yn ddigon hirben, doedd bosib, i sylweddoli nad oedd e'n mynd i bara'n hir ar drugaredd natur a Bwmbwm. Peth rhyfedd oedd yr awydd am rym, meddyliodd Cai. Dyma Wotsi, yr un fath â phawb arall yn y dref, yn llwyddo i oroesi am ei fod e'r un fath â phawb arall, yn rhan o fecanwaith y llwyth. Ond roedd ei ysfa am rym, am fod yn gydradd â'i unben, yn uwch na phawb arall, yn peri iddo wneud dewisiadau annoeth. Roedd rhai pobl bob amser wedi'u geni i gredu eu bod nhw'n haeddu gwell.

'Wotsi!' galwodd Olaf o'r buarth. Roedd y glaw wedi peidio, a'r haul wedi dechrau gweithio ar y trwch o gymylau rhyngddo a'r ddaear, nes bod ei ffurf i'w gweld yn welw drwyddynt. Roedd y gwynt wedi gostegu: prin y gallai Cai ac Olaf gredu'r gwahaniaeth a wnâi ychydig oriau i'r tywydd.

Ni ddaeth ateb.

'Ni'n gwbod 'ych bod chi 'na!' galwodd Cai.

Roedden nhw'n sefyll wrth ymyl diferyn o waed ar y ddaear wleb, a throedfedd fach o ôl olwyn na fyddai wedi gallu goroesi dim byd yn debyg i'r gwynt a'r glaw dros nos.

Ochneidiodd Olaf. Byddai'n rhaid mentro i mewn drwy'r

drws haearn gwichlyd. Doedd dim posib gwybod pa arfau oedd gan y ddau. Rhaid eu bod wedi cofio dod â chyllyll er mwyn torri'r ceffylau i'w coginio dros dân. Ac o ran hynny, lle ar wyneb y ddaear oedden nhw'n gobeithio cynnau tân mawr i goginio heb gael eu gweld? Oni bai eu bod yn bwriadu eu bwyta'n amrwd wrth gwrs.

'Bach yn dwp, yn do'ch chi? Allech chi fod wedi dewis rhwle na fydden ni wedi gallu dod o hyd i chi,' meddai Olaf. Os nad oedden nhw'n mynd i ennyn ymateb Bwmbwm a Wotsi drwy weiddi arnyn nhw, falle y byddai eu gwatwar yn gwneud iddyn nhw ymddangos.

'Lle?' daeth llais o'r tu mewn. 'Is no lle,' meddai Bwmbwm wedyn. 'Is no lle ni wbod. Ni wbod dim lle.'

'Dewch allan,' gorchmynnodd Cai. 'Fel arall, ni'n dod mewn.'

'Na na na na!' gwaeddodd Bwmbwm. 'Mi no isie marw!'

Edrychodd Cai ac Olaf ar ei gilydd. Yn un peth, doedd ganddyn nhw ddim byd heblaw'r gyllell boced fach ddiniwed a ddefnyddiai Olaf at bob gorchwyl o dorri ewinedd ei draed i naddu chwiban o bren helyg. Er y gallai honno ladd Bwmbwm, doedd dim ymhellach o feddwl Olaf a Cai na lladd y twpsyn gwirion.

'Gwna fel ry'n ni'n gweud a fydd dim rhaid i neb farw,' gorchmynnodd Olaf, gan fwynhau'r pŵer oedd ganddo dros yr unben dwl.

'Ti ffrinds,' erfyniodd llais Bwmbwm eto. 'Ti mi ffrinds. Mi no isie marw.'

Gallai Olaf a Cai glywed yr ochenaid a roddodd Wotsi yn

dilyn hyn. Fe wyddai hwnnw hefyd ei fod e wedi cael ei ddenu gan y llo Bwmbwm unwaith eto, ac wedi gwneud y dewis anghywir.

Daeth y ddau ben i'r golwg.

'Fe oedd,' meddai Wotsi mewn Cymraeg gryn dipyn yn fwy graenus nag un Bwmbwm. 'Isie fi lladd ceffyle gyda fe.'

'Anodd gwbod pwy yw'r ffŵl mwya,' meddai Olaf. 'Fe, neu ti am neud fel o'dd e'n gweud.'

'Ceffyle is tu fewn,' ildiodd Wotsi gan wybod bod y gêm ar ben.

'Pam ti sei?!' ceryddodd Bwmbwm, a dyrchafodd Wotsi ei lygaid i'r cymylau.

Tynnodd Cai y rhaff denau a oedd ganddo am ei ganol, ac estynnodd hi i Olaf ei thorri hi'n hanner â'i gyllell. Heb ddweud gair, estynnodd Wotsi ei arddyrnau i Cai eu rhwymo. Ceisiodd Bwmbwm ymatal, ond roedd Olaf yn gryfach na fe, a llwyddodd i rwymo ei arddyrnau yntau o fewn dim. Rhwymodd Olaf y ddau yn sownd wrth freichiau'r gert lle roedd y ceffylau marw.

Daliodd Olaf ei gyllell fach yn uchel yn yr awyr, a gorchymyn: 'Gwthiwch, y jawled!'

Dechreuodd y ddau wthio'r gert yn bwdlyd.

'Fyddwn ni drwy'r dydd ar y cyflymder yma,' meddai Cai wrth Olaf o dan ei wynt.

'Yn gyflymach!' gorchmynnodd Olaf, gan ddod â llafn y gyllell i lawr yn beryglus o agos at glust Bwmbwm. Neidiodd hwnnw yn ei flaen yn ei ddychryn, a symudodd y gert yn gyflymach, gan wneud i Wotsi gyflymu ei gerddediad hefyd.

Anelodd y pedwar, a'u llond cert o gelanedd, yn ôl am y dref.

Pe bai gan Wotsi gynffon, byddai wedi bod mor bell rhwng ei goesau nes goglais ei drwyn.

10

ROEDD PAWB FEL petaen nhw mor waraidd, meddyliodd Gwawr. Yn ystyriol o'i gilydd bob amser, yn gwrtais ac yn serchus, ac yn rhannu popeth – bwyd, dillad, gwaith, cwmni. Er eu bod yn byw mewn tai, roedd canolfannau cymdeithasol mawr yn eu dwyn ynghyd bob gyda'r nos.

Cofiodd Gwawr am y ffordd roedden nhw a'r Ni yn ymgasglu o amgylch y tân yn y dref i swpera bob nos, ac i rannu helyntion y dydd.

Ond yma, roedden nhw fel pe baen nhw wedi arfer dros ddegawdau'n hirach sut i barchu ei gilydd, ac ni allai Gwawr gredu bod unrhyw gynnen yn bodoli rhwng y rhain a'i gilydd.

'Ry'n ni'n dysgu rhannu'n gynnar iawn,' eglurodd Sira. 'O'r ysgol feithrin i'r coleg. Ac wedyn y gwaith: ry'n ni i gyd yn gwneud chwech awr o waith y dydd – beth bynnag yw ein harbenigedd, ond rhyw agwedd ar dechnoleg yn bennaf – sicrhau'r cyflenwad trydan solar a dŵr; cyfrifiadura; trwsio caledwedd; cynhyrchu cydrannau. Mae digon o waith i bawb allu gwneud ychydig bach bob dydd, a threulio gweddill yr amser yn mwynhau ffrwyth ein llafur.'

'Gwaith caled,' meddai Gwawr, gan nad oedd ganddi

syniad go iawn beth oedd cyfrifiadur heb sôn am ddeall sut roedden nhw'n gweithio.

'Ddim felly,' atebodd Rasi. 'Ac mae'n gadael amser i gyfeillachu, gyda'n ffrindiau, a gyda'r bechgyn,' meddai gan godi ei haeliau. 'Ry'n ni'n cael ein hannog i gyfeillachu.'

'Pwy sy'n gwneud y gwaith arall?' gofynnodd Gwawr wedyn, wrth gofio am holl orchwylion ei dyddiau yn y dref. Lladd ci, ei flingo, ei goginio, ei fwydo i bawb, clirio'r carthion ar ei ôl i'r goedwig helyg ifanc roedden nhw wedi'i phlannu ar gyrion y dref, eu taenu ar y lleiniau llysiau yn y caeau, trin, chwynnu, medi'r llysiau hynny, eu bwyta neu eu bwydo i'r cŵn, a gweld y cylch yn dechrau eto. Ddydd ar ôl dydd ar ôl dydd.

Roedden nhw wedi oedi yn y parc hardd yng nghanol y dref, ac yn siglo'n araf ar bob o siglen. Estynnai'r gwyrddni, pob gwyrdd dan haul, a smotiau bach o flodau gwyllt yn ei harddu, i bob cyfeiriad a disgleiriai'r haul ar doeau'r tai y tu ôl iddyn nhw.

'Gwaith arall?' holodd Sira'n ddiddeall.

'Tyfu pethau. Coginio. Glanhau.'

'O, ie,' atebodd Rasi, fel pe bai hi'n sylweddoli am y tro cyntaf fod rhywun yn gwneud y pethau hyn. 'Mae gyda ni bobl,' meddai. 'Dyna waith rhai pobl.'

Ond doedd Gwawr ddim wedi gweld neb yn gwneud y pethau hyn ers iddi gyrraedd. Doedd neb i'w weld yn gwneud mân orchwylion angenrheidiol bywyd, dim ond ei fwynhau. Er mor lân oedd popeth a phobman, ni welodd unrhyw weithwyr na neb o'r fath yn y bwthyn, yn y pwll, ar y strydoedd nac yn y siopau lle roedden nhw wedi treulio'r rhan fwyaf o'r bore'n syllu ar ryfeddodau nad oedd gan Gwawr syniad beth oedd eu hanner nhw: dillad o wlân y croesiad rhwng lama a gwanaco roedd yr Afalloniaid yn llwyddo i'w ffermio, wedi'i lifo'n bob lliw dan haul; sidan o'u ffermydd sidan; crwyn anifeiliaid nad oedd Gwawr yn gwybod eu bod nhw'n dal i fodoli – bleiddiaid, beison, cwgariaid, eirth. Anifeiliaid a oedd nid yn unig wedi goroesi'r Diwedd Mawr, ond a oedd wedi ffynnu am wahanol resymau (diffyg pobl yn bennaf).

Eglurodd Sira mai dros nos roedd y rhan fwyaf o'r bobl eraill yn gwneud y gwaith glanhau, paratoi bwyd, ac ati ac ati. A gyda'r nos, pan oedd pawb arall yn eu canolfannau neu yn eu cartrefi'n mwynhau cwmni ei gilydd, yn adrodd straeon i'w gilydd er difyrrwch, am ddyddiau a fu, yn cadw'n fyw yr atgofion am fyd hyllach, a llai diniwed.

'Fe fuodd natur yn garedig i ni,' meddai Sira. 'Yn gadael i ni gael y fath wledd, er bod cymaint o weddill y byd yn rhy anghyfannedd i ni allu byw ynddo, oherwydd y cynhesu byd-eang ac effeithiau'r bomiau. Fe gafon ni waredigaeth yn y rhan hon o'r wlad.'

'A thechnoleg wrth gwrs,' ychwanegodd Rasi. 'Fe ddaliodd yr hen bobl eu gafael arni, parhau i'w chynhyrchu, a pherffeithio'r gallu i gostrelu ynni naturiol ar ffurf batri. Dyna sy'n pweru'r hofrwr.'

'Yr hofrwr?' holodd Gwawr. Ond roedd hi'n gwybod ar unwaith mai'r ddyfais a alluogai bobl i symud yn gyflym drwy lefydd oedd yr hofrwr. 'Oes gan bobl heblaw'r Chwilod hofrwr felly?'

'Oes, siŵr,' chwarddodd Sira. 'Mae gan bawb hofrwr. Nid dim ond y Chwilod.'

Roedd Sira eisoes wedi egluro i Gwawr mai'r Chwilod oedd yn cadw trefn yn Afallon.

'Hen griw iawn ydyn nhw,' meddai. 'Bob amser yn serchog, a byth yn gas, hyd yn oed pan maen nhw'n dy gynghori di i beidio â gwneud rhywbeth er lles y llwyth.'

Doedd dim angen i Gwawr ofyn pam roedden nhw'n cael eu galw'n Chwilod: roedd hi mor amlwg â'r dydd mai'r rheswm am hynny oedd bod eu gwisg yn gwneud iddyn nhw edrych fel chwilod. Rhyw ffurf ar gragen warcheidiol a helmed o ddeunydd caled o ryw fath a ddisgleiriai yn yr haul oedd hi, a'r cyfan yn ddu, gan wneud iddyn nhw edrych yn debyg i chwilod. Dyna roedd Cai wedi galw'r milwyr a ddaethai allan o fol yr awyren a laniodd i gipio Anil, a dyna roedd y rhain yn eu galw hefyd.

'Mae gen i ffrind...' dechreuodd Gwawr egluro. 'Anil. Fe gafodd e ei gipio. Mae e yma rywle. Ydych chi wedi'i weld e?'

Crychodd Rasi ei thalcen. 'Dy'n ni ddim yn nabod neb o'r enw Anil,' meddai. 'A go brin fod neb ohonon ni wedi cipio neb.'

'Dyw'r Afalloniaid ddim yn genedl ymladdgar,' meddai Sira. 'A dyna'r tro cynta i fi glywed yr enw Anil.'

Cnodd Gwawr ei gwefus, a phenderfynu peidio â gofyn rhagor i'r ddwy. Roedd cymaint i'w ganmol am Afallon. Welodd Gwawr erioed le tebyg iddo. Byddai wedi gallu treulio gweddill ei bywyd yma'n hapus braf. Ond roedd rhywbeth nad oedd yn taro deuddeg. Rhywbeth a achosai deimlad o gnoi yng ngwaelod ei stumog. Ble yn y byd oedd Anil? Pryd oedd hi'n mynd i gael ei weld? A phryd oedd hi'n mynd i gael mynd adre, hi ac Anil? 'Nôl i Gymru neu'n ôl i'r Ynys, doedd dim ots ganddi. Ond iddi gael dychwelyd at ei phobl.

Wedi'r cyfan, meddyliodd Gwawr, doedd yna'r un nefoedd yn nefoedd go iawn oni bai bod y bobl roeddech chi'n eu caru yno gyda chi.

*

Doedd gan Anil ddim syniad pwy oedd wedi taflu'r garreg gyntaf.

Gwyddai fod Jean-Luc wedi bod yn hel straeon celwyddog amdano wrth y criw a rannai ei gaban cysgu. Gwelodd Anil e'n sibrwd wrth dri neu bedwar arall ar ôl iddyn nhw ymgasglu'n barod i'w rhwymo wrth y brif gadwyn i'w tywys i'r cae cerrig. Buan iawn y gwelodd yn llygaid y lleill fod y newyddion amdano wedi lledaenu. Doedden nhw prin wedi edrych i'w gyfeiriad o'r blaen, ond y bore hwnnw, roedd llygaid pawb arno. 'Epil yr hwren,' clywodd, pan blygodd i wisgo'i lopanau.

Pam na allen nhw weld ei fod e'n un ohonyn nhw, lawn mor amddifad â nhw, beth bynnag oedd tynged ei fam, druan?

Roedd rhywun wedi taflu carreg ato, ac wedi ei daro yn ei ysgwydd. Trodd i weld pwy wnaeth, a chael carreg arall, un fach diolch i'r nefoedd, yn ei daro ar ei foch chwith. Disgwyliodd i Jojo geryddu pwy bynnag a wnaeth, iddo godi ei chwip a tharo'r troseddwr, neu ei lusgo oddi yno hyd yn oed, i wynebu disgyblaeth fwy llym. Hanner ofnai Anil ei fod wedi achosi i un o'i gyd-gaethion ddioddef yn y fath fodd.

Ond eiliad yn unig y parhaodd y teimlad hwnnw ynddo, wrth i garreg fwy o faint lanio'n galed ar ei frest. Teimlodd y gwayw'n lledu drwyddo. Roedd e wedi gweld caethwas yn ei hestyn o fasged wrth ei draed, carreg maint ei ddwrn, ac roedd e wedi'i gweld yn dod, a gwyrodd ei ben yn sydyn. Pe na bai wedi gwneud hynny, nid ei frest fyddai wedi'i chael hi.

Safai Jojo rai camau i ffwrdd, a gwên larïaidd yn cymylu ei wyneb. Safai yno, yn gadael i'r lleill ei labyddio. Trodd Anil ei gefn a cheisio camu o'i rigol i roi mwy o bellter rhyngddo a'r cerrig. Glaniodd un arall ar ganol ei gefn, ac un arall wedyn ar gefn ei ben. Dyma fel bydda i farw os nad yw Jojo'n mynd i roi stop arnyn nhw, meddyliodd. Dechreuodd redeg, ond roedd y rhychau a wnâi'r cerrig dan draed, a'r basgedi ym mhobman, yn ei rwystro. Teimlodd garreg arall yn ei daro uwchben ei glust, nes ei fod yn gwegian ar ei draed. Rhaid oedd dal ati i redeg, dianc, mynd o gyrraedd y cerrig. Teimlodd waed yn llifo o gwt uwchben ei glust lle roedd y garreg wedi taro a lle roedd ei Lingua wedi chwalu nes saethu gwich ddiddiwedd drwy ei benglog. Teimlodd y cwt yn llosgi...

'*Tuez-le! Tuez-le! Tuez-le!*' clywodd y lleisiau o'r tu ôl iddo.

Rhaid oedd cyrraedd y caban cyn i'r cerrig ei lethu a'i ladd. Doedd Jojo ddim yn codi ei chwip nac yn ceryddu'r un ohonyn nhw. Safai llond llaw ohonyn nhw o'r neilltu gan rythu i'w gyfeiriad, ond heb godi carreg, yn analluog i roi stop ar y dwsin a mwy oedd yn plygu i godi cerrig, yn eu taflu, yn methu, yn taro, yn brifo…

Llifai'r gwaed o dwll ar ei dalcen. Rhedodd yn ddall drwy eu canol. Gwelodd un yn rhythu, gwelodd drueni yn llygaid hwnnw, ni chofiai pwy. Ai Antoine oedd e, y bachgen a gysgai ar y bync gyferbyn? Doedd Anil ddim yn siŵr, doedd e ddim yn siŵr o ddim byd mwyach, roedd e'n baglu, yn colli ei ffordd, yn cwympo…

*

Caeodd y Llyw y sgrin ar y cae cerrig. Doedd e ddim am iddi weld. Roedd e'n ysu am wybod beth ddigwyddodd wedyn, ond fentrai e ddim gadael iddi weld: gofyn am drwbl a wnâi hynny.

Gwyddai'n dda fod Mira'n ei oddef, yn goddef y cyfan bellach er mwyn ei mab, plentyn, beth bynnag oedd e. Rhyw anffurfiad ar fywyd, gwyddai'r Llyw gymaint â hynny. Gallai fod wedi cau ei cheg drwy beidio â gadael i'r gwyddonwyr ei alltudio i blith y caethion pan ddarganfuwyd nad oedd e'n 'normal'. Gallai fod wedi gadael i'w hepil fyw gyda hi, ei chadw hi'n fodlon, er mwyn iddi fod yn fodlon arno yntau.

Ond byddai hynny wedi gwahodd cymaint o rai eraill i gwestiynu ei bolisïau. O'r cychwyn cyntaf roedd e wedi creu gwersyll y caethion at ddefnydd y drefedigaeth, ei greu o'r elfennau esgymun ymhlith y brodorion. Y rhai na wyddent sut i gerdded y llwybr a gerddai pawb arall, y rhai gwahanol, mewn meddwl ac mewn corff. Roedd wedi gorchymyn i'r mwyaf anabl o blith yr esgymunbethau gael eu lladd, fel nad oedd yn rhaid eu cynnal, babanod ar eu genedigaeth, ac eraill hefyd o oes lai perffaith, oes a oddefai'r cymhedrol, y namau a ddôi yn sgil ideoleg gyfeiliornus cydraddoldeb. Oedd, roedd y cyfan wedi achosi cryn dipyn o gythrwfl ar y cychwyn, ond bellach, roedd pawb fel petaen nhw wedi anghofio am unrhyw chwerwedd a fu wrth fwynhau llewyrch a pherffeithrwydd y nirfana hon lle roedd pawb yn gwybod eu lle. Roedd yr haenau uchaf, pawb ond y caethion, yn ddiolchgar iddo am eu puro, am wneud bywyd yn berffaith iddyn nhw, drigolion breintiedig Afallon.

Ni allai'r Llyw wneud un rheol ar gyfer ei bobl ei hun, a gadael i'r erchyllbeth hwn o dramor gael ei ryddhau o'r drefn; ni allai gael ei weld yn ffafrio estron. Byddai'n ddigon i wneud i rai ofyn cwestiynau, ac o'r eiliad y câi cwestiynau eu gofyn, byddai ar ben arno. Byddai ar ben ar Afallon, y nefoedd a greodd er mwyn ei bobl.

Rhaid i fi feddwl am ffordd o gael gwared arno rywsut, heb iddi hi ddod i wybod, meddyliodd wrtho'i hun.

'Fy Llyw,' hofrannodd llais Mira draw ato o'r drws lle roedd hi wedi ymddangos fel gwyrth yn ei gwyn difrycheulyd. Yn wir, hi oedd ei dduwies, ei eiddo perffeithiaf un. 'Mae'r ferch yn barod i wledda.'

Gwenodd y Llyw arni.

'Gorau oll,' meddai. 'Rho bopeth da iddi, ac ychydig o bethau melys. Daw'n bryd iddi fynd heb ormod o'r rheini er mwyn rhoi cyfle i'w hwyau,' ychwanegodd.

Edrychodd Mira arno a'i llygaid tywyll dyfnion yn llawn gwae, yn union fel roedd e'n eu hoffi fwyaf.

'Oes raid?' sibrydodd Mira.

'Wnaeth e ddim drwg i *ti*, naddo, 'nghariad i?'

'Do,' meddai Mira, a'i gadael ar hynny.

'Cusan,' gorchmynnodd y Llyw gan anelu ei foch i'w chyfeiriad. Aeth Mira draw ato'n ufudd.

*

Clywed ei hun yn griddfan wnaeth i Anil ddeffro.

'Shshsh,' meddai llais uwch ei ben, yn ddistaw. Agorodd Anil ei lygaid ond ni allai weld pwy oedd yno. Hofrannai ffurfiau aneglur o flaen ei lygaid. Roedd e'n ymwybodol fod rhywun yn cyffwrdd â'i dalcen, â'i glust, yn tynnu malurion yr hen Lingua a gosod un arall yn ei le.

Teimlai'n oer. Cofiodd am y gwaed. Cofiodd am y cerrig. Ble oedd e?

'Ara deg,' meddai llais, ac yna roedd cwpan wrth ei wefusau. 'Cym ddŵr.'

Sipiodd Anil y dŵr hyfrytaf a deimlodd erioed ar ei wefusau. Roedd e'n oer, fel pe bai rhew wedi'i roi ynddo. Ond doedd dŵr y caban, dŵr y gwersyll, byth yn oer.

'Mam…' dechreuodd Anil yn floesg.

'Na, ddim cweit.' Daeth chwerthiniad o'r ffurf uwch ei ben a dechreuodd Anil weld wyneb yn ymffurfio o'r niwl. Un o'r caethion oedd e. Yr un â'r llygaid tosturiol…

'Antoine?'

'Ie, iawn tro yna,' meddai Antoine yn dyner. 'Fe gest ti golbiad ganddyn nhw.'

'Ble maen nhw?' Dychrynodd Anil wrth gofio'n iawn. Y rheini oedd wedi taflu'r cerrig… ei gyd-gaethion.

''Nôl yn y cae,' meddai Antoine. 'Fe gofiodd Jojo mai fe oedd i fod i gadw trefn yn y diwedd, ac fe gawson nhw eu hel yn ôl i weithio. Fe gyniges i ddod i ofalu amdanat ti, a chredi di byth, ond fe adawodd i fi neud.'

Sychodd Anil ei wefusau a gostwng ei ben yn ôl ar y gwely pren.

'Mae gen ti elynion,' meddai Antoine wedyn, a'i lais yn ddwysach. 'Mewn byd sy'n llawn o elynion.'

'Oes.' Caeodd Anil ei lygaid. 'Ond un ffrind hefyd. Diolch.'

'Paid diolch i fi am wneud fel y dylwn i,' meddai Antoine. 'Yr hyn sy'n ddoniol, neu'n drist, neu'n beth bynnag, yw na fydde'r un o'r rheina wedi breuddwydio am godi carreg pe baen nhw'n cael eu trin fel pobl yn hytrach nag fel anifeiliaid. Maen nhw wedi anghofio sut mae bod yn bobl,' meddai Antoine yn drist. 'Mae e wedi'u gwneud nhw'n anwariaid fel fe'i hunan.'

Wnaeth Anil ddim gofyn pwy oedd 'e' am ei fod e'n gwybod yn barod mai am y Llyw roedd e'n sôn. Unben Afallon. Cywely ei fam.

'Dere,' meddai Antoine wedyn. 'Fe gawn ni awr fach arall o lonydd cyn y dôn nhw'n ôl o'r cae. Dwed wrtha i am Gymru. Sut le sy ganddyn nhw yna? Fe glywes ryw sôn fod 'na daith arall wedi bod.'

'Do,' cofiodd Anil, a chyffroi drwyddo. 'Do! Wyt ti'n gwbod rhywbeth? Ddaeth rhywun yn ôl? Gipion nhw rywun? Dwed wrtha i! Dwed!'

Cododd Anil ar ei eistedd wrth i'w feddwl droi at y daith. Roedd e wedi anghofio'r cyfan, a heb ddisgwyl y byddai'r awyren wedi dychwelyd mor fuan. Faint oedd 'na ers i'w fam sôn am y daith? Llifodd cwestiynau drwy ei ben ac ni allai eu lleisio'n ddigon cyflym.

'Hei hei hei,' meddai Antoine gan chwerthin. 'Ara deg, Anil! Neu bydd dy dalcen di'n dechrau gwaedu eto! Pwylla, ac fe ddweda i beth dwi'n wbod, sy ddim yn llawer, alla i fentro dy rybuddio di!'

11

O'I BLAEN YMESTYNNAI byrddeidiau o fwydydd na welsai erioed mo'u tebyg. Llysiau wedi'u coginio mewn sawsiau o bob math; cigoedd amrywiol, rhai wedi'u halltu, eraill wedi'u rhostio, a'r saim yn dal yn boeth ynddyn nhw; cawsiau, rhywbeth na welsai ond mewn llyfrau, ond yma roedd caws gafr, caws carw, caws y lama-wanaco croesryw, caws o bob lliw a llun; bara a gynhwysai ffrwyth yr olewydd, bara rhyg, bara'n llawn o berlysiau o bob math; olew olewydd, y dangosodd Sira iddi sut i fwydo ei bara ynddo cyn ei fwyta. A'r holl bethau melys – ffrwythau o bob math, yn fwyarau coch a du a glas, yn afalau a grawnwin, yn beranau – pethau na flasodd yn ei bywyd o'r blaen. A'r hufen i'w daenu drostyn nhw, a chyffug wedyn, mor felys nes tynnu dŵr i'w llygaid.

Doedd hi ddim wedi arfer â blasau melys, er iddi flasu sawl potes mwyar wedi'i gymysgu â mêl o grwybrau yn y coed uwchben y dref. Roedd y Ni wedi dangos iddyn nhw sut i'w hel, a doedd dim i guro blas mêl. Ond yma roedd pob mathau o fwydydd wedi'u melysu â mêl neu ryw ddeunydd arall. Go brin fod yma siwgwr, ac eto, mynnodd Rasi eu bod nhw'n gallu tyfu pob dim yng nghaeau a gerddi a bioddomau tyfu Afallon: falle fod hynny'n cynnwys siwgwr.

Llenwodd ei phlât, fel y gwelsai Sira a Rasi'n ei wneud, a

gwylio'r lleill i weld pa bryd y câi fwyta. Roedd rhyw hanner cant o bobl yn y neuadd, yn ddynion ac yn fenywod, ifanc a hen. Gwisgai'r menywod ddillad mor hardd, ffrogiau hir at y llawr, yn llawn o liwiau a phatrymau blodau, a gwisgent eu gwallt yn hir at eu canol, yn wahanol i sut y gwelsai yn gynharach yn y dydd. Bryd hynny, ei wisgo'n rhaffau pleth am eu pennau a wnaen nhw, yn gylchoedd fel coronau. Ond bellach, a'u gwalltiau'n donnau rhydd, roedd coronau o flodau am eu pennau, coronau o flodau neidr, llaeth y gaseg a llygaid llo mawr a phig yr aran, blodau mawr lliwgar natur wedi'u cywain yn ofalus o'r caeau.

Gwisgai'r dynion drowsusau golau a thiwnigau o wahanol liwiau golau, gwanwynol, glas golau, hufen, pinc. Nofiai'r lliwiau o flaen llygaid Gwawr, a diolchai'n ddistaw bach yn ei phen fod Mira wedi gadael ffrog wen hardd iddi hi ei gwisgo yn lle'r siaced o groen llygod a'r sgert fechan o groen ci oedd ganddi pan gafodd ei chipio, a'r hen siwmper garpiog a greodd o hen ddeunyddiau brau yr oes a fu yn y dref.

Yn sydyn, clywodd gloch yn canu ym mhen pellaf y neuadd. Tincial, fel crisial tylwyth teg, meddyliodd, gan mai mewn breuddwyd ydw i. Distawodd y lleisiau a chododd pawb ar eu traed. Gwnaeth Gwawr yr un fath. Agorodd y drws mawr pren yn y wal gyferbyn â hi, a daeth dau i mewn. Dyn a dynes.

Mira oedd un, sylweddolodd Gwawr yn syth, gyda pheth syndod wrth gofio mai dyma'r ddynes a ofalodd amdani'n gynharach wedi iddi gyrraedd Afallon. Gwisgai'r dyn diwnig lliw aur ysgafn dros drowsus gwyn, a choron o eiddew am ei ben. Eiddew oedd y goron ar ben Mira hefyd, ond roedd rhosynnau wedi eu gweu rhwng y dail ar honno.

Plygodd pawb ei ben, a gwnaeth Gwawr hynny hefyd. A oedd yna weddi?

'Warchodwr Afallon,' daeth y llais drwy ei Lingua i ailadrodd yr hyn a oedd ar wefusau pawb arall yn y neuadd. 'Ardderchocaf Lyw, Frenin ein Nefoedd ar y Ddaear.'

Aeth Mira i eistedd i'r chwith o ble'r eisteddai Gwawr, a Sira i'r dde, ac eisteddodd y dyn wrth ymyl Mira, a Rasi yr ochr draw iddo yntau.

'Braf eich cyfarfod chi.' Estynnodd y Llyw ei law iddi dros y bwrdd, a phwysodd Mira yn ôl iddyn nhw gael cyfarch ei gilydd.

'A finne chithe,' meddai Gwawr, ychydig bach yn betrus. Roedd e'n amlwg yn ddyn pwysig, yn bennaeth ar y lle yma, ar Afallon, ar 'Nefoedd ar y Ddaear' fel roedd pawb wedi'i ddweud.

'Bwytwch!' gwenodd y Llyw yn llydan arni. 'Bwytwch fel pe baech chi adre!'

'Does dim byd tebyg i hyn gyda ni adre,' meddai Gwawr. 'Diolch i chi am eich holl garedigrwydd.'

Gwenodd y Llyw arni a theimlodd Gwawr gynhesrwydd yn ei lygaid. Doedd e ddim yn rhywun i'w ofni wedi'r cyfan, meddyliodd. Yr adeg a dreuliodd yn yr awyren, yn poeni beth fyddai'n ei disgwyl ar ben arall ei thaith, a dyma ni: hyn. Perffeithrwydd.

Gwelodd Rasi yn dechrau bwyta, a bwriodd iddi'n awyddus i roi cynnig ar y danteithion ar ei phlât. Roedd pawb yn siarad ar draws ei gilydd yn hapus braf, a'r chwerthin i'w glywed o bob cyfeiriad. Edrychodd drwy gornel ei llygad ar Mira a synnu o weld y wên wedi llithro oddi ar ei gwefusau. Edrychai draw at y drws, fel pe bai hi am fynd drwyddo, oddi yma, o Afallon. Ond pwy ar y ddaear fyddai am ddianc o Afallon?

Yna, roedd Mira'n gwenu arni. 'Mwynhau?' gofynnodd iddi.

'Ydw, yn bendant,' meddai Gwawr.

Daeth cerddorion i mewn drwy'r drws, a dechrau chwarae offerynnau yn y pen pellaf: ffidil, telyn fach, liwt, chwiban. Gallai Gwawr dyngu na chlywsai alawon pertach erioed. Cofiodd yn sydyn am gân yr adar wrth y bwthyn a chywiro'i hun: yr *ail* sŵn pertaf iddi ei glywed erioed! A hynny mewn un diwrnod yn Afallon, un diwrnod yn unig. Faint mwy o synau harddaf ei bywyd, blasau mwyaf bendigedig ei bywyd, y lliwiau prydferthaf a welsai yn ei byw, oedd i'w darganfod yfory?

Anil, cofiodd, ar draws bob dim. Sut y gallai hi fod wedi anghofio Anil? Beth oedd Mira wedi'i ddweud? Ar daith astudio? Ymhle?

'Pryd fydd Anil 'nôl?' gofynnodd i Mira gan droi i edrych arni.

Rhewodd Mira: rhythai o'i blaen heb ddweud gair. Daeth Gwawr yn ymwybodol fod y sgwrs wedi tewi rhwng Rasi a'r Llyw hefyd. Doedd dim siw na miw o gyfeiriad Sira. Teimlai Gwawr fel pe bai hi wedi pechu rywsut, ond ni allai ddeall pam.

Roedd Mira wedi delwi, yn methu yngan gair, a Sira'n edrych ar ei dwylo ar ei harffed. Synnodd Gwawr glywed y Llyw yn ei hateb.

'Ymhen rhai dyddiau,' meddai'n ysgafn. 'Fe gei di'i weld e mewn fawr o dro.'

*

Gwyddai Mira'n dda y byddai pris i'w dalu am fethu â chuddio'i syndod pan ofynnodd Gwawr ynglŷn ag Anil. Roedd hi wedi paratoi ei hun ar gyfer clywed y ferch yn holi eto am Anil. Ar ôl iddi ddweud mai ar daith astudio roedd e, y peth cyntaf fyddai Gwawr am ei wybod fyddai pryd y dôi'n ôl.

Ond am ryw reswm, roedd y wledd wedi ei gwneud hi'n esgeulus, yr holl leisiau, a'r gerddoriaeth. Er ei bod hi'n aml i'w gweld gyda'r Llyw yn eu gwleddoedd, o leiaf unwaith yr wythnos os nad yn amlach, doedd hi ddim wedi disgwyl i Gwawr ei llorio drwy yngan enw Anil ar yr union eiliad honno, ac roedd y cwestiwn wedi ei gwneud hi'n fud. Roedd eiliad, dwy eiliad, yn ddigon.

Gwyddai y câi dalu'n ddrud am fod mor lletchwith. Roedd ei hoedi wedi gwneud i'r ferch amau rhywbeth, gallai ddweud arni, wedi plannu hedyn bach o ddrwgdybiaeth yn ei meddwl. Ac roedd y ffaith mai'r Llyw a atebodd yn gwaethygu'r sefyllfa rywsut. Po fwyaf didaro oedd ei ateb, mwyaf drwgdybus fyddai'r ferch. Gallai deimlo amheuaeth Gwawr o lle'r eisteddai yr ochr arall i Sira.

'Iechyd da!' Cododd y Llyw ei wydr gwin a'i daro'n ysgafn

yn erbyn un Rasi a oedd wedi codi ei hun hithau. Gwnaeth yr un peth i wydr Gwawr.

'Iechyd da i chi,' meddai. Cyffyrddodd gwydr y Llyw ag un Sira. 'Iechyd da,' meddai.

'Iechyd da, Lyw,' atebodd Sira.

'Iechyd da, 'nghariad i,' meddai'r Llyw yn annwyl wrth blygu dros y bwrdd i gyffwrdd ei wydr yn ysgafn, ysgafn â gwydr Mira.

Mira'n unig a welodd rywbeth yn ei lygaid du y tu hwnt i'r adlewyrchiad o'i llygaid ei hun.

*

Y tu allan i'r caban, safai'r drol a gariai'r crochan o gawl a gâi'r caethion yn swper bob nos. Estynnodd Anil am ei fasnaid, yn olaf ond un yn y ciw. Edrychodd am le i'w fwyta yn y cysgod, ond roedd pedwar neu bump o'r lleill wedi bachu sedd ar wreiddiau'r unig goeden a ffiniai â'r buarth o flaen y caban. Aeth at y ffens a phwyso'i gefn yn erbyn un o'r estyll pren. Roedd yr astell yn ddigon llydan i gynnig rhai modfeddi o gysgod iddo.

Pan ddaethai'r lleill o'r cae hanner awr ynghynt, doedd yna fawr o siarad. Ceisiodd un neu ddau wneud jôc o'r ffaith fod Anil ar wastad ei gefn tra'u bod nhw wedi bod wrthi'n llafurio yn y cae, ac mai celwydd oedd y beindin am ei ben i gadw'r gwaed rhag ailddechrau llifo. Ond roedd sawl un wedi edrych i'w gyfeiriaid â llygaid llo, yn teimlo'n euog bellach iddyn nhw gael eu cymell i ddilyn Jean-Luc fel

defaid ac ufuddhau i'r ysfa i daro allan – ar unrhyw un yn y
bôn: troi ar un er mwyn gwyntyllu rhwystredigaeth, doedd
dim ots pam.

Blasodd Anil y cawl. Roedd e'n flasus, rhaid dweud. Doedd
e ddim eto wedi blino'n llwyr ar yr un bwyd nos ar ôl nos.
Nid oedd dim yng Nghymru a allai guro'r cawl hwn. Roedd
yr Afalloniaid wedi deall fod yn rhaid wrth fwyd gweddol i
wneud caethwas cynhyrchiol. Doedd caethwas ar fin llwgu
yn dda i ddim i neb. Cynhwysai'r cawl amryw o lysiau: tatw,
moron, pannas, maip, a swêj. Lympiau go fawr ohonyn nhw, a
darnau go fân o gig wiwer. Ac roedd y tameidiau ychwanegol
a gaent gan wragedd a mamau dan gysgod nos yn ychwanegu
at eu dognau i'w cadw'n gryf.

Heno, doedd neb yn edrych arno, neb am ildio i'w gywilydd
ei hun. Roedd Jean-Luc hyd yn oed fel pe bai wedi anghofio
am ei fodolaeth, ac yn siarad gyda dau neu dri ar y grisiau
bach i mewn i'r caban.

Daeth Antoine ato ar ôl iddo gael ei fasnaid o gawl, ac
eistedd â'i gefn at y ffens wrth ei ymyl.

'Maen nhw'n cynllunio rhywbeth,' meddai gan wylio'r
triawd ar risiau'r caban.

'Na, paid â chymryd sylw,' meddai Anil. Roedd ei Lingua
newydd yn gwichian braidd ac yn ychwanegu at y pen tost
oedd ganddo.

'Bendant,' mynnodd Antoine. 'Mae Jean-Luc yn teimlo'i
fod e wedi colli cefnogaeth y gweddill ers y prynhawn yma,
felly mae e am eu cymell nhw eto. Fel 'ny gweli di gyda theirant.
Mae e'n gorfod dal ati i herio'u cywilydd nhw.'

Ac yn wir, ar y gair, dyma Jean-Luc yn codi ac yn edrych ar Anil am y tro cyntaf ers iddyn nhw ddod allan am eu swper. Cilwenai'r ddau arall ar y stepiau wrth ei weld yn sgwario draw at Anil. Daliai i gnoi cig o'r fasnaid o gawl roedd e wedi'i gadael gydag un o'i ddau gi bach ar y step. Cnoi, a gwenu ar Anil yn giaidd ar yr un pryd, nes bod Anil yn gweld y cig yn ei geg.

Safodd o flaen Anil heb dynnu ei lygaid oddi arno.

'Beth wyt ti moyn?' holodd Antoine. Ond wnaeth Jean-Luc ddim troi i edrych arno.

'Cyfarch babi hwren y Llyw dwi,' dechreuodd Jean-Luc. 'Mae gen i anrheg iddo.'

Ac ar hynny, plygodd a chodi llond llaw o lwch pridd wrth ei droed dde. Estynnodd ei law uwchben basn Anil, a chyn i hwnnw ddirnad beth roedd e'n ei wneud, roedd Jean-Luc wedi gollwng y pridd yn ei fasnaid o gawl.

Cododd Antoine ar ei draed fel bollt.

'Cer â dy hen wyneb hyll o 'ma,' meddai wrth Jean-Luc, 'os wyt ti isie cadw dy drwyn yn gyfan!'

Camodd tuag at Jean-Luc. Ni symudodd hwnnw, dim ond troi am y tro cyntaf i wynebu Antoine. Rhythent ar ei gilydd, a Jean-Luc yn gwenu drwy geg gam a chig rhwng ei ddannedd. Lled dwrn hawdd oedd rhyngddyn nhw ond roedd Antoine rai modfeddi'n dalach ac yn sgwariach na Jean-Luc. Safodd hwnnw am rai eiliadau fel pe bai'n ystyried ei obaith o guro Antoine.

Estynnodd Antoine ei fasnaid o gawl i Anil, heb dynnu ei lygaid oddi ar Jean-Luc.

'Dere â dy gawl di i fi,' meddai wrth Anil. A phan oedodd hwnnw, cododd ei lais yn siarp: 'Dere â dy un di i fi, Anil, ac fe gei di hwn.'

'Na…' dechreuodd Anil ond chafodd e ddim cyfle i ddadlau.

'Cymra fe!' gorchmynnodd Antoine, gan ddal i edrych ar Jean-Luc.

Cydiodd Anil yn y fasn, a rhoi ei fasn yntau yn llaw Antoine. Gafaelodd Antoine yn y fasn a'r llwy, a chodi llwyaid dew yn llawn o gawl a phridd i'w geg ei hun gan syllu ar Jean-Luc yn heriol. Cododd un arall, ac ar ôl cnoi a llyncu, cododd un arall drachefn.

Bodlonodd Jean-Luc ar boeri ar lawr, rai modfeddi oddi wrth draed Antoine, a throi ei gefn gan fwmian rhywbeth hyll am 'Anil a'i phartner'. Cerddodd yn ôl am y caban, yn dal i wenu, ac wrth ei weld e'n gwenu, parhaodd y ddau arall ar y grisiau i wenu hefyd. Ond roedd ysgwyddau Jean-Luc rai modfeddi'n is erbyn iddo eu cyrraedd.

Daliai Antoine i fwyta'r cawl.

'Dim raid i ti…' meddai Anil yn ddiflas.

'Oes!' meddai Antoine gan redeg ei lwy rownd ochr y fasn i sicrhau ei fod e wedi cael pob diferyn, pob llychyn o'i chynnwys. 'Bwyta di hefyd!'

Aeth â'r fasn yn ôl at y troli a'i gadael yno, cyn dychwelyd at Anil, nad oedd yn cael fawr o flas ar y cawl bellach. Safodd Antoine yn ei wylio, y tân wedi diflannu o'i lygaid. Eisteddodd yn ymyl Anil.

'Bwyta, Anil. Doedd y pridd ddim mor hyll ag y byddet ti'n

ei ddisgwyl.' Roedd e'n gwenu ar Anil. Gallodd Anil ymlacio digon i roi gwên fach yn ôl.

'Diolch,' meddai wrth Antoine. 'Dim raid i ti…'

'Oedd,' meddai Antoine. 'Dyna'r ffordd i drin bwlis. Dangos dy fod ti'n well na nhw heb ddefnyddio dy ddyrnau.'

Mynnodd Anil na châi Antoine ddim byd ond trwbwl drwy ochri gydag e.

'Fe ga i drwbwl os *na* ochra i gyda ti,' atebodd Antoine. 'Y trwbwl gwaetha un.' Trodd i edrych ar Anil. 'Cydwybod ma'n nhw'n ei alw fe.' Oedodd cyn gwenu eto: 'Dere, byta dy fwyd cyn i Jojo ddod i'n hel ni i'r caban.'

12

ROEDD PEN GWAWR yn troi, rhwng y gwin a'r dawnsio diddiwedd. Doedd hi ddim wedi cael amser cystal â hyn er pan oedd hi ar yr Ynys. Cofiodd am y dawnsio yno, dawnsio gwerin, traddodiadau'r Norwyaid yn bennaf, er bod Mam Un wedi cyfeirio at ddawnsio gwerin Cymru yn ei Dyddiadur hefyd, ond doedd neb o'r Ynyswyr yn gallu gwneud pen na chynffon o'i disgrifiadau. Byddai'n rhaid iddi fynd i edrych yn y llyfrgell yn Aberystwyth am ragor o ddisgrifiadau, meddyliodd, wrth i Sira ei throelli nes gwneud i'w ffrog laes agor allan fel gwyntyll am ei choesau.

'Wiiiiii!' sgrechiodd yn hapus.

Prin fod y ddawns hon, a'i hystumiau gymnastig, yn debyg i ddawns Mam Un. Gwelodd fod y Llyw bellach yn dawnsio gyda Rasi, er nad oedd e fel petai'n gwneud yr un chwyrlïo a throelli ag a wnâi'r genhedlaeth iau. Doedd Mira ddim yn dawnsio, ond fe wyliai o'r cyrion, fel rhai eraill o'r gwragedd ychydig yn hŷn. Weithiau, sylwodd Gwawr, roedd hi fel pe bai'n cofio y dylai hi wenu, fel rhyw fath o ddyletswydd. Un ryfedd oedd Mira. Pan holodd Gwawr hi'n gynharach pryd y dôi Anil yn ei ôl, roedd Mira fel pe bai hi mewn byd arall, fel pe na bai ganddi syniad am beth na phwy roedd Gwawr yn sôn, neu fel pe bai wedi ei dychryn gymaint gan y cwestiwn fel na allai ateb.

'Mwynhau?' gwenodd Sira arni.

'Wrth 'y modd!' atebodd Gwawr allan o wynt yn llwyr.

'Aros di nes chwaraean nhw'r Forgath,' meddai Sira. 'Mae honno'n lladdfa!'

'Y Forgath?' holodd Gwawr. 'Am enw ar ddawns!'

'Beth?' meddai Sira, cyn tytian ar unwaith a dyrchafu ei llygaid i'r entrychion. 'Y Lingua dwl! Y Sglefriad yw enw'r ddawns, o'r Saesneg, *skate*. Ti'n sglefrio dros y llawr wrth i'r ffidil wneud *glissando*, a throi cyn cyrraedd yr ochr arall a neidio i freichiau'r person ar dy law chwith di. Ond y ffordd orau i'w dawnsio hi yw ar hofranwyr. Mae'n hwyl ryfedda!'

Prin y gallai Gwawr ddychmygu'r peth cyntaf am y fath ddawns, ond roedd hi'n llawn fwriadu rhoi cynnig arni cyn i'r noson ddod i ben. Cyhyd â'i bod hi'n cael pum munud o seibiant yn gyntaf.

'Eiliad,' galwodd ar Sira, 'dwi bron â marw eisiau diod o ddŵr!'

Anelodd am y byrddau, lle roedd grwpiau o bobl yn sgwrsio, a dilynodd Sira hi. Llenwai'r lleisiau a'r chwerthin y neuadd fawr ysblennydd. Disgynnodd Gwawr i'w sedd, wedi ymlâdd.

'Mwynhau?' holodd Rasi wrth ymuno â'r ddwy.

'Bron â marw,' atebodd Gwawr gan sychu'r chwys oddi ar ei thalcen â napcyn.

'Maen nhw'n gadael,' meddai Sira gan edrych draw i gyfeiriad y drws. Yno roedd y Llyw yn mynd o amgylch grwpiau o bobl i ffarwelio, a Mira wrth ei ysgwydd yn gwenu'n ddel. 'Maen nhw bob amser yn gadael cyn i'r partïon fynd yn rhy wyllt.'

Ni allai Gwawr ddychmygu sut y gallai pethau fynd yn fwy gwyllt nag oedden nhw'n barod o ran y dawnsio didostur a'r gerddoriaeth uchel o'r gornel lle roedd yr offerynwyr, a'r siarad a'r canu a'r chwerthin gan grwpiau wrth y byrddau.

'Mae e'n arweinydd da,' meddai Gwawr gan godi ei llais.

Roedd criw o ddynion yn y pen pellaf wedi dechrau canu alaw swnllyd, faldorddus.

'Ry'n ni'n lwcus iawn ohono fe,' meddai Sira. 'Nid bod pawb yn cytuno, cofia,' ychwanegodd.

'Sut all neb anghytuno?' holodd Gwawr. 'Mae'r lle 'ma'n berffaith. Popeth yn berffaith. Pawb yn gwneud ei ran, neb yn creu trafferth, pawb yn hapus.'

'Fe roeson ni'r gorau i ddemocratiaeth ar y cychwyn un, pan oedd ein cyndeidiau'n ymadfer ar ôl y Diwedd Mawr. Democratiaeth arweiniodd at y Diwedd Mawr, felly rodden nhw'n chwilio am drefn wahanol. Meritocratiaeth yw Afallon.'

'Dyma ni! Gwers wleidyddiaeth!' canodd Sira. 'Hoff bwnc Rasi.'

'Egluro iddi ydw i,' dadleuodd Rasi. 'Iddi gael ein deall ni. Deall beth sy'n gwneud y lle 'ma cystal lle i fyw ynddo.'

'Gad iddi.' Pwysodd Gwawr ymlaen i wrando ar Rasi. 'Wyt ti'n dweud nad etholiadau sy'n penderfynu pwy sy'n arwain?'

'Nage wir, mae etholiadau'n llawer rhy beryglus,'

meddai Rasi. 'Arholiadau sy'n penderfynu. Arholiadau Gwleidyddiaeth, Moeseg a Gwarineb i brofi gallu'r ymgeiswyr yn y tri maes hollbwysig hynny. Yna, bydd panel o uwchathrawon y brifysgol yn marcio'r papurau, ac mae'r gorau'n cael arwain.'

'Ond fe alle unrhyw un ateb yn gelwyddog,' mentrodd Gwawr ddadlau. '*Dweud* ei fod e'n cefnogi hawliau lleiafrifoedd er enghraifft…'

'Galle, mae'n siŵr,' meddai Rasi'n synfyfyriol, 'ond byddai hynny'n galw am ymgeisydd llawn drygioni, ac mae ein system addysg ni'n gofalu nad oes pobl felly yn Afallon.'

'Yw'r Llyw fel pe bai e'n twyllo?' gofynnodd Sira gan wenu.

'Nag yw, wir,' meddai Gwawr. 'Ry'ch chi'n lwcus iawn ohono fe. Fe wela i golli'r lle 'ma.'

'Paid, wir,' meddai Sira gan droi'n ôl at y llawr dawnsio. 'Mae gen ti lwyth o fwynhau i'w wneud gynta. Dere.'

Ystyriodd Gwawr ofyn eto i'r rhain ynglŷn ag Anil. Rhaid eu bod nhw'n ei alw wrth enw arall, meddyliodd. Doedd dim ffordd na fydden nhw'n gwybod am yr estron o ben arall y byd. A rhaid eu bod nhw wedi cyfarfod â'i fam. Doedd neb wedi sôn gair am fam Anil, a doedd ganddi hithau ddim syniad beth oedd ei henw chwaith. Difarodd beidio â bod wedi holi mwy ar y Ni, gan fod nifer ohonyn nhw wedi dweud eu bod nhw'n cofio mam Anil. Ond leisiodd neb mo'i henw, dim ond dweud 'mam Anil.'

Berwai cymaint o gwestiynau yn ei phen, ond byddai'n rhaid iddynt aros. Roedd llawer gormod o sŵn yn y neuadd iddi allu clywed ei hun yn meddwl heb sôn am gynnal sgwrs gall, ac roedd Sira a Rasi hanner ffordd ar draws y neuadd yn barod i ymuno â'r ddawns.

*

'Fe rewes i!' meddai Mira wrth sefyll o'i flaen fel plentyn ysgol yn derbyn ei gerydd. 'Allen i ddim help. Pan ddwedodd hi'i enw fe, do'n i ddim yn barod amdano. Mae'n ddrwg gen i. Mae'n wir ddrwg gen i.'

'Anfaddeuol,' meddai'r Llyw wrthi'n oeraidd. Os oedd e'n teimlo dicter tuag ati, doedd e ddim yn bradychu llawer ar ei wyneb. 'Creu amheuon lle nad oes angen. Roedd hi'n barod iawn i dderbyn dy esboniad yn gynharach yn y dydd, a dyma ti'n peryglu'r cyfan. Creu amheuaeth yn y ferch. Ei hansefydlogi hi cyn iddi fynd i'r fferm. Rhaid iddi gyrraedd y fferm yn y cyflwr gorau.'

'Fe lyncodd hi'r stori,' mentrodd Mira. Gwyddai nad oedd modd maddau'r anfaddeuol.

'Gad i ni obeithio hynny,' meddai'r Llyw. 'Er lles pawb. Mae'r wyau'n bwysig. Does dim dyfodol i Afallon heb yr wyau. Dwyt ti ddim am beryglu dyfodol Afallon. Fe wnest ti hynny unwaith drwy ddweud mai merch oedd Anil. Fe dalodd e'n ddrud am dy gelwydd di.'

'Gredes i falle…'

'Gredes i falle!' dynwaredodd y Llyw ei lais cwynfanllyd. Paid â'i gynhyrfu fe, ceryddodd Mira ei hun. 'Gredest ti y bydde'r lwmp diwerth, diddiffiniad, di-ryw, dibwrpas, dibwynt yn gallu rhoi wyau! Yr unig wy all dy erchyllbeth di ei gynnig yw'r wyau llau ar bennau'r caethion!'

Cododd Mira ei dwylo at ei hwyneb. Gwyddai ei fod e'n llygad ei le mai hi oedd i'w feio am ddwyn Anil yma, am fod mor hunanol â'i ddwyn e yma ati, gan feddwl, gan feddwl… y ffŵl â hi!

'Rhaid i wyau Afallon fod yn ifanc. Rwyt ti wedi hen groesi'r ffin honno, 'nghariad i. Beth wna i gyda ti, fy hen beth musgrell i?'

Teimlai Mira bob un o'i thri deg pum mlwydd oed â phob gair o lach oddi ar ei dafod. A gwyddai fod y gwaethaf eto i ddod.

'Eistedd!' gwaeddodd y Llyw, a disgynnodd calon Mira. Dyma ni eto, meddyliodd. Hyn, y gwaradwydd eithaf.

Aeth i lawr ar ei phedwar. Teimlodd ei phengliniau'r llawr yn oer drwy ei ffrog.

'Gorwedd!' gorchmynnodd y Llyw, ac ufuddhaodd Mira.

'Tro drosodd!'

A throdd Mira ar ei chefn a chodi ei dwylo fel pawennau o'i blaen fel roedd hi wedi arfer gorfod ei wneud. Gafaelodd y Llyw yn ei bol yn galed ar ystum goglais nad oedd yn gwneud dim byd ond brifo.

'Agor dy geg!'

Ac agorodd Mira ei cheg a rhoi ei thafod allan ac anadlu fel ci. Fel gast anwes, mewn byd heb anifeiliaid anwes.

'Dwi ddim yn dy glywed di…' canodd y Llyw drwy wên fel ysgyrnygiad. Ac anadlodd Mira'n fwy swnllyd. 'Lle ma'r ffrwyn?' gofynnodd y Llyw a throi i estyn tennyn a ffrwyn oddi ar fachyn ar y wal y tu ôl iddo. Gosododd y ffrwyn am enau Mira, a thynhaodd y tennyn.

'Cyfarth!' gorchmynnodd y Llyw, wrth iddo dynnu'n siarp ar y tennyn am ei gwddf, nes gwneud iddi godi ar ei phedwar.

Cyfarthodd Mira.

*

Ers i'r Clefyd gyrraedd ei benllanw tua degawd ynghynt, y Llyw oedd yr unig un a ddangosodd benderfyniad i weithredu. Fe lwyddodd i ailgychwyn y prosiect batri solar i berffeithio'r dechnoleg roedden nhw eisoes wedi bod yn gweithio arni, ond ar raddfa lai. Llwyddodd ei wyddonwyr i gymhwyso'r dechnoleg ar gyfer awyrennau, a dechreuwyd manteisio arni i achub y llwyth, ar ôl deall bod gan estroniaid imiwnedd rhag y Clefyd.

Gweddillion ymbelydredd niwclear oedd yn gyfrifol am y Clefyd, ond effeithio ar wyau'r groth a wnâi, nid ar feidrolion cyfansawdd. Ers y Diwedd Mawr roedd ymbelydredd wedi gwneud ei orau i ddifa'r boblogaeth, ond methu a wnaeth tan i'r anffurfiad ymbelydrol diweddaraf ddechrau dangos priodweddau firws, a lledaenu fel tân gwyllt drwy aelodau benywaidd y llwyth.

Erbyn i'r Clefyd gyrraedd ei anterth, roedd pob babi a gâi ei eni yn Afallon wedi'i anffurfio i'r fath raddau fel na ellid dweud mai babi dynol ydoedd. Nid oedd gan y rhan fwyaf ohonyn nhw wynebau, dim ond twll i anadlu drwyddo, na choesau na breichiau. Bellach, roedd pob dynes yn Afallon wedi'i heintio, ac roedd hi'n drosedd i'r un ohonyn nhw feichiogi heb ddilyn trefn y ffermydd wyau a fyddai'n sicrhau beichiogrwydd iach.

Ers degawd, roedd cnwd iach o blant o dras estron yn Afallon, er nad oedd yn ddigon eto i fod yn sicr o barhad y llwyth ar ei orau. Ac roedd bob amser angen amrywiaeth: rhaid oedd parhau i chwilio am wyau gwahanol, er cymaint o wyau y gallai un ferch ar frig ei chyfnod ffrwythlon eu cynnig dros gyfnod optimwm o bum mlynedd.

Ffermio'r wyau bob mis, a'u gosod yng nghrothau menywod Afallon, dyna oedd y drefn. Câi'r merched eu hel o rannau o'r byd lle roedd awyren solar Afallon wedi dod o hyd i boblogaeth a oedd wedi goroesi'r Diwedd Mawr.

Ofergoel ar ran y Llyw oedd sicrhau bod y merched yn cael mwynhau holl fwyniant Afallon am rai dyddiau cyn eu hel i'r fferm. Gwyrdroad sadistaidd arall yn ei gymeriad. Gwyliai eu mwynhad dros y camerâu a osodwyd ym mhob man bron, gan wybod mai eu cloi mewn cewyll a gaent am weddill eu dyddiau.

Cylch dyddiol o fwydo, cysgu, bwydo, cysgu, fel ieir batri yr oes a fu. Hanner dwsin ohonyn nhw ar y tro mewn chwe chawell sgwâr bedair troedfedd o led wrth bedair troedfedd o hyd. Pum mlynedd o gynhyrchu wyau, cyn eu lladd, a'u taflu allan dros ffin Afallon i bydru yn yr haul. Doedd y mamau a gâi'r wyau byth yn gofyn cwestiynau. Credai un neu ddwy mai cynhyrchu'r wyau eu hunain a wnâi'r gwyddonwyr, fel pe baen nhw'n dduwiau, ond credu hynny am mai dyna roedden nhw eisiau ei gredu yr oedden nhw: y gwir amdani oedd nad oedden nhw eisiau gwybod.

Alla i ddim cwyno, meddyliodd Mira wrth i'r Llyw ei harwain o gwmpas ei blas ar y tennyn, gan wneud i'r morynion a'r gweision a basiai ar ei daith droi eu pennau i edrych y ffordd arall. O leia fe gafodd fyw, a châi ei chadw mewn moethusrwydd bellach, yn wahanol iawn i'r merched yn eu cewyll.

Yn wahanol iawn hefyd i Anil.

Arweiniodd y Llyw hi allan i'r cowt preifat yng nghanol y plas, at y goeden afalau fach dwt a dyfai o ganol y teras carreg ar batrwm cefn pennog. Dan lygaid y ffenestri lle roedd y trigolion eraill yn troi at y waliau, gorchmynnodd y Llyw iddi wneud fel y gwnâi bob tro, fel yr ast ag yr oedd hi.

*

Agorodd Anil y drws yn ddistaw bach. Safai ei fam yng nghysgod y goeden, allan o'r golwg yn ôl ei harfer, rhag i gaethwas arall, rhywun heblaw Anil, agor y drws. Camodd o'r tywyllwch ac estynnodd fwndel mewn lliain i Anil.

'Caws, dwy dafell o gig carw, ychydig o fara,' meddai, heb sylwi yn y tywyllwch ar y graith goch ar ei dalcen. 'Bydd rhaid i fi fod yn sydyn, mae'r Llyw yn meddwl 'mod i wedi mynd i estyn gwydraid o laeth gafr.'

Roedd e wedi blino ar ei thrin fel gast ar ôl mynd am dro o gwmpas y plas, ac wedi mynd i'w wely'n eithaf dywedwst ar ôl tynnu ei ffrwyn oddi amdani, a gadael iddi godi ar ei thraed.

Doedd y sesiynau ddim yn para'n hir, roedd hynny o'u plaid. Blinai'r Llyw ar ei thrin fel gast lawn mor rhwydd ag y blinai ar lawer o bethau eraill. Gadawodd iddi fynd i ymolchi, a gofynnodd hi a gâi daro i lawr i'r gegin i nôl diod.

'No isie,' meddai Anil wrth iddi estyn y bwndel iddo, a gostyngodd ei ben. 'Mi iawn, mi…'

Er bod y Lingua wedi arfer cyfieithu iaith Mira, a oedd yn gymysgedd o Gymraeg, Ffrangeg a Saesneg bellach, câi'r teclyn ychydig mwy o drafferth gyda'r iaith roedd Anil wedi arfer siarad â'i fam. Dros flwyddyn, er hynny, roedd ei allu yn y tair iaith wedi gwella, ond gyda'i fam, tueddai i droi'n ôl at y Ni-iaith.

'Beth yw hwnna? Beth ddigwyddodd? Pwy nath hynna?'

Estynnodd Mira ei llaw at dalcen ei phlentyn, a thynnodd yntau'n ei ôl rhag iddi ei gyffwrdd, am nad oedd e am iddi frifo'r clwyf, ac am nad oedd e eisiau iddi edrych yn rhy agos arno.

Eglurodd wrthi ei fod wedi baglu wrth weithio ac wedi bwrw ei ben ar garreg. Pe bai hi'n edrych yn fanylach, fe welai gleisiau mewn mannau eraill ar ei wyneb ond diolchai ei bod hi'n dywyll. Roedd e wedi bod yn ymarfer ei gelwydd yn ei ben, gan wybod y dôi hi heno: roedd rhywrai wedi clywed fod gwledd yn y plas.

'O, Anil,' meddai ei fam yn drist gan geisio edrych yn agosach ar y cwt. 'O, Anil bach…'

Dywedodd wrthi ei fod e'n edrych yn waeth nag oedd e mewn gwirionedd, ac fe lyncodd hi hynny. Gwyddai na allai ei fam fyw gyda'r gwirionedd i gyd. Ac roedd e ar dân eisiau gofyn rhywbeth arall iddi, rhywbeth roedd e wedi methu ei roi o'i ben drwy'r dydd.

'Y daith, Mam? Is nw 'nôl?'

'Do, do,' meddai Mira. 'Ddoe. A chyn i ti ofyn, na, ddaethon nhw ddim â Cai.'

Anadlodd Anil yn ddwfn, yn ddiolchgar. Ni fyddai wedi gallu goddef i Cai gael ei ddwyn yma i uffern Afallon.

'Pwy?'

'Merch,' atebodd Mira.

'Wel, ie,' atebodd Anil.

'Gwawr. O'r Ynys.'

Nodiodd Anil yn fyfyrgar.

'Gwawr,' meddai. Chwythodd allan yn swnllyd. 'Druan.'

'Mae hi'n cael amser wrth ei bodd ar hyn o bryd,' meddai Mira. 'Y Llyw yn awyddus i ni ei chadw hi mewn anwybodaeth am ychydig eto. Mae hi'n gofyn amdanat ti,' ychwanegodd ar ôl saib.

'Ydi…?'

'Mae hi'n meddwl dy fod di ar daith astudio ac y doi di'n ôl mewn diwrnod neu ddau.'

'O,' meddai Anil. 'A wedyn?'

'Fe ddwedes i wrthi y caech chi fynd adre.'

'Mam…' dechreuodd Anil yn ddiflas.

'Roedd rhaid i fi ddweud rhywbeth,' dadleuodd Mira, gan dynnu'r bwyd o'r lliain, 'a waeth i ni adael iddi gael diwrnod neu ddau o hapusrwydd cyn gorfod wynebu nad eith hi byth o 'ma. Nad eith yr un ohonon ni byth o 'ma.'

Trodd oddi wrtho am gysgod y coed.

13

Wotsi oedd cysgod Cai ers iddyn nhw ddychwelyd i'r dref wythnos cyn hynny o'r plas, a'r ceffylau ar y drol rhyngddyn nhw, ac Olaf a Bwmbwm ar yr ochr arall. Roedd y rhaff am arddwrn dde Wotsi wedi bod yn sownd yn y pen arall am ei arddwrn chwith ers yr holl amser hwnnw heblaw pan oedd y ddau'n gweithio, nes bod Cai wedi mynd i deimlo'n llawn cymaint o garcharor â Wotsi.

Teimlai Olaf yr un fath, yn sownd wrth Bwmbwm. Ac os oedd rhywbeth bach y gallai Cai deimlo'n ddiolchgar yn ei gylch, y ffaith nad Bwmbwm roedd e'n sownd wrtho oedd hynny. Doedd Wotsi ddim hanner cymaint o dreth ar amynedd â Bwmbwm.

Roedd yr Ynyswyr a'r Ni wedi dod at ei gilydd o gwmpas y tân, union wythnos wedi'r glaw a dwyn y ceffylau. Ystyriodd Cai gymaint roedden nhw wedi llwyddo i'w wneud rhyngddyn nhw, dan arweiniad Gwenda, i adfer trefn yn y dref. Bron iawn y gallen nhw ddweud bod pethau fel roedden nhw'n arfer bod. Roedd Freyja wedi arwain carfanau hela ac wedi llwyddo i hel o leiaf ugain o gŵn, a llond llaw o'r rheini'n dorrog. Gallen nhw fyw heb y chwech neu saith a oedd heb eu dal. Buan iawn y dalien nhw rai eraill yn eu lle.

Roedd caseg a march arall yn y stabl hefyd, a barnai Freyja fod y gaseg eisoes yn gyfeb pan gafodd ei dal, yn ôl y teimlad a gâi wrth osod ei dwylo ar fol yr anifail. Do, fe gollwyd llysiau a chnydau, ond nid y cyfan o bell ffordd, ac roedd yn wers iddyn nhw fod angen gwarchod rhai planhigion â gwiail am yn ail rhag y gwaetha o'r glaw a dueddai i erydu'r tir pan oedd yn arllwys ar ei drymaf.

Yn ôl ei harfer diolchodd Gwenda i weddill y trigolion am eu gwahanol fathau o lafur yn ystod y dydd: i'r criw a fu'n plannu hadau bach yn y siediau; i'r helwyr; i'r rhai a fu'n trwsio tai; i'r torwyr coed tân... Roedd hi'n rhestr hirfaith. Gweithio ar y morglawdd fu Cai a Wotsi, a rhaid dweud bod y Niad y bu Cai'n sownd wrtho ers wythnos yn weithiwr heb ei ail. Tybiai Cai mai edifeirwch oedd yn tynhau'r cyhyrau'n bennaf, ac oni bai ei fod yntau wedi gorfod dal ati i weithio ochr yn ochr ag ef, byddai Cai wedi bod yn hapus iawn i ddiolch i Wotsi ei hun am weithio mor galed dros bawb. Ar un ystyr roedd Olaf yn ei chael hi'n hawdd iawn bod yn sownd wrth Bwmbwm, nad oedd llawer o ddim yn llwyddo i'w gael i symud o'i gwman wrth y tân, heb sôn am wneud diwrnod iawn o waith.

'A diolch i Olaf a Bwmbwm am gadw'r tân ynghyn,' meddai Gwenda'n sychlyd i orffen.

Daeth ambell chwerthiniad yr un mor sychlyd o blith y Ni.

'Oes rhywun arall am glywed ei faldorddi twp e drwy'r dydd, 'te?' holodd Olaf yn uchel. 'Croeso i chi newid lle gyda fi! Mae e'n ddigon i wneud dyn yn lloerig.'

'Mi no twp!' atebodd Bwmbwm yn bwdlyd. 'Mi clyfar, mi mo clyfar na neb in is twll ma, is trw!'

'Ie, ie,' meddai Olaf. 'Chi'n gweld beth sy raid i fi ddiodde?'

'Mi mo clyfar na ti, is trw!'

'Gad dy gleber, ddyn!'

Chwarddodd rhai o'r Ni. Roedd hi'n ddoniol gweld Bwmbwm yn gaeth, ac roedd hynny'n gwneud iddyn nhw deimlo'n saffach rywsut. Er nad oedd gan Bwmbwm unrhyw reolaeth drostyn nhw ers blwyddyn, roedd hi'n dal i fod yn rhyddhad ei weld yn sownd wrth raff.

'Mwlsyn,' bytheiriodd Wotsi dan ei wynt, a dim ond Cai a'i clywodd.

'Gwenda,' dechreuodd Cai, 'falle gallen ni ailystyried y trefniant yn achos Wotsi?'

'Beth?' Cododd Wotsi ei ben wrth glywed ei enw. Ond er ei fod e'n deall ac yn siarad Cymraeg yn dda iawn bellach, doedd e ddim wedi gallu dilyn beth ddywedodd Cai.

'Fe drion ni'u gadel nhw'n rhydd,' dadleuodd Gwenda, 'a chymrodd hi ddim dau funud i Bwmbwm ei baglu hi o 'ma.'

Do, fe dynnwyd y rhaffau ar yr ail ddiwrnod, er mwyn ceisio cael Bwmbwm i wneud rhagor o waith. Ond fe redodd Bwmbwm yn syth i gyfeiriad Rhiw Penglais, fel pe bai ganddo unrhyw obaith o ddianc o dan eu trwynau. Aeth y Ni ar ei ôl a'i ddal ar unwaith, a chyn iddo allu rhegi bron, roedd e a Wotsi yn ôl yn y rhaffau.

'Bydde wedi bod yn gallach i ni adel iddo fe fynd,' meddai

Olaf. 'Ei adel e i dreial byw ar ei ben ei hun, a gweld pa mor hir fydde fe'n llwyddo.'

Cnodd Gwenda ei gwefus. Er gwaethaf y demtasiwn ni allai adael i hynny ddigwydd. Roedd meddwl am Bwmbwm yn llwgu i farwolaeth ar ei ben ei hun yn fwy nag y gallai ei oddef. Doedd hi ddim yn greulon. Un peth oedd cadw trefn ar droseddwyr, peth arall oedd gadael iddynt lwgu i farwolaeth.

'Ma Wotsi wedi dangos ei fod e'n gallu ymddwyn yn iawn,' meddai Cai.

'Beth?' meddai Wotsi eto.

'Is spic am ti,' gwatwarodd Bwmbwm. 'Is nw no leico ti.'

'Is ti shyt-yp!' meddai Wotsi wrth Bwmbwm heb guddio'i ddicter y tro hwn.

'Is shit, is ti!' tarodd Bwmbwm yn ôl.

'O dduw mawr, co ni bant!' meddai Olaf yn ddiflas.

Doedd dim o'i le mewn gwylio dau arall yn cega – oni bai eich bod chi'n sownd wrth un ohonyn nhw.

Dechreuodd Cai chwerthin ar ei waethaf, a gorweddodd yn ôl ar y llawr, gan orfodi Wotsi i symud ei fraich. Roedd hi wedi bod yn wythnos ryfedd ar y naw. Am ryw reswm, roedd e wedi teimlo'n well nag y teimlodd ers amser. Oedd, roedd Gwawr wedi cael ei chipio, ond eto, doedd e ddim yn teimlo wedi'i lenwi â gwae fel roedd e pan aethon nhw ag Anil y llynedd. Roedd y ffaith fod Gwawr wedi'i chipio wedi codi'r niwl, rywsut, wedi ei lenwi â gobaith annaearol.

Roedden nhw'n cadw dod yn ôl, yr awyrennau. A thra'u bod nhw'n dal ati i ddychwelyd, roedd posib meddwl am Anil fel rhywun a oedd yn dal yn fyw iddo. Anil a Gwawr.

I gychwyn, roedd Wotsi wedi gwatwar Cai, ei rybuddio am beidio â chyffwrdd ynddo fel roedd e'n arfer cyffwrdd Anil, neu ryw ensyniadau dan din o'r fath. Ond buan iawn y blinodd yntau ar ei watwar hefyd, a derbyn ei dynged yn sownd wrth Cai. Yn raddol, dros yr wythnos, roedd hi'n amlwg ei fod e wedi dod i barchu'r bachgen roedd e'n sownd wrtho, a doedd e ddim wedi dweud dim byd cas wrtho ers y diwrnod neu ddau cyntaf, dim ond gweithio'r edifeirwch allan ohono'i hun drwy chwys ei wyneb.

'Dwi'n cytuno,' meddai Gwenda ar ôl meddwl am funud neu ddwy. 'Ma Wotsi'n barod i gael ail gyfle.'

'We-hei!' gwaeddodd Cai. Edrychodd Wotsi'n dwp arno, yn dal heb ddeall. 'Ail gyfle,' meddai Cai a phwyntio at Wotsi. 'Ti'n cael ail gyfle.'

Ac aeth Cai ati i ddatglymu'r rhwymyn am ei arddwrn. Aeth Freyja atyn nhw a thorri'r rhaff â'i chyllell mewn un symudiad sydyn.

'Ies!' Lledodd gwên dros wyneb Wotsi.

'Braf ar rai,' meddai Olaf yn bwdlyd. 'Bydd hwn 'da fi am byth.'

'Ddim am byth,' cywirodd Gwenda. 'Ddim ond tan neith e ddachre bihafio.'

Rhegodd Olaf dan ei wynt.

'Gei di fynd o'i olwg e nawr,' meddai Gwenda wrth Wotsi am Cai.

Estynnodd Wotsi ei law i Cai ei hysgwyd.

'Ffrinds,' gwenodd arno.

'Olaf,' trodd Gwenda at yr Ynyswr blin, 'fe gei di wylie

bach. Ma Freyja wrthi'n trefnu taith ar hyd yr arfordir yn y cwch hwylio. Ond fe fydd hi angen i ti a Cai fynd gyda hi gan nad oes neb arall heblaw fi yn gallu hwylio. Ac fe fydd angen i fi aros fan hyn.'

Cyn iddi orffen roedd Olaf yn gweiddi, 'Ie, plis!'

'Ac wrth gwrs, fydd dim lle i Bwmbwm ar daith sy'n galw am y fath ymdrech ar ran pawb o'r criw.'

'O, 'na drueni,' mwmiodd Olaf. 'Pam na chawn ni'i daflu fe dros ochor y cwch?'

'Ddim y tro yma,' meddai Gwenda. 'Fe geith e'i glymu at Jos.' Amneidiodd ar Niad a oedd yn eistedd wrth y bwrdd heb orffen ei fwyd.

'Y gwelltyn byrra, Jos, dwi ofan,' meddai Olaf wrth Jos gan fustachu i godi ar ei draed er bod Bwmbwm yn dal i eistedd. 'Coda!' cyfarthodd ar Bwmbwm. 'Dere i gwrdd â dy gariad newydd.'

Datglymodd Olaf y rhaff yn rhyfeddol o sydyn, a'i hestyn at Jos, nad oedd yn edrych fel pe bai'r orchwyl newydd yn mennu llawer arno.

'Sda ti ddim syniad, Jos bach,' meddai Olaf dan ei wynt. 'Croeso i uffern, a ta-ta!'

Cerddodd Olaf oddi wrthynt am ei gartref gan rwbio'i arddwrn, yn ddyn rhydd.

'Bydd angen un arall…' dechreuodd Gwenda, ac ni fu'n rhaid iddi aros am fwy nag eiliad cyn i Cai gynnig enw Wotsi.

*

Doedd dim byd yn debyg i fod allan ar y tonnau. Er eu bod wedi arfer pysgota yn yr harbwr, ac allan ymhellach ym Mae Ceredigion ar adegau, doedd yr un o'r pedwar wedi teithio mor bell â hyn. Roedd bod mewn cwch yn brofiad newydd i'r Ni: doedden nhw ddim wedi arfer pysgota llawer, fwy nag oddi ar greigiau ar y traeth, ac yn yr afonydd. Er hynny roedd Wotsi wedi dysgu llawer ers iddo ddod i'r dref i fyw. Roedd wrth ei fodd yn mynd allan i bysgota.

Ond roedd y cwch hwylio'n fater arall. Gwyddai Gwenda y gallai'r tri arall ddechrau dysgu crefft hwylio i Wotsi, ac yn eu tro, câi rhai o'r Ni eraill eu dysgu hefyd. Po fwyaf o dechnegau pysgota, hela ac amaethu y gallen nhw eu dysgu iddyn nhw, ac i'r genhedlaeth nesaf yn eu tro, a pho fwyaf y gallen nhw ei ddysgu gan y Ni hefyd, a bod yn deg – llwyth a oedd yn bencampwyr ar adnabod planhigion a'u hamryfal ddibenion, rhywbeth a oedd yn bendifaddau wedi cadw'r llwyth yn fyw drwy'r newyn yn ddiweddar – mwyaf o obaith oedd yna y llwyddai'r genhedlaeth nesaf i oroesi, a'r un wedi honno wedyn.

Ysai Cai am gael bwrw ati i hwylio eto. Cofiai'n dda am y cwch llawer mwy o faint ym mhen arall Lloegr a'u cludodd dros fil o filltiroedd o'r Ynys. Ac er nad oedd ganddo syniad yn y byd pryd y gwelai hwnnw eto, roedd gallu gwneud rhywbeth y treuliodd gymaint o'i blentyndod yn ei wneud allan ar y môr yn tanio rhyw obaith newydd ynddo.

'Tynhewch y rhaffau!' gorchmynnodd Freyja. Roedd hi wedi dysgu'r elfennau cychwynnol i Wotsi, ac roedden nhw bellach yn barod i ddechrau.

Y bwriad oedd hwylio allan i ganol y bae yn gyntaf a cheisio bwrw i fyny i gyfeiriad y gogledd i gael gweld beth welen nhw o'r môr. Yna roedden nhw am deithio i fyny un o'r aberoedd – aber y Ddyfi neu'r Fawddach, neu gyn belled ag aber y Ddwyryd a Glaslyn efallai, gydag ychydig o dywydd teg a gwynt o'r de-orllewin i hwyluso'u taith.

Roedd rhywbeth am yr heli a deimlai fel pe bai'n iacháu dyn o'r tu mewn allan. Anadlodd Olaf lond ysgyfaint o wynt y môr a thynnu ar y rhaffau. Addawodd iddo'i hun na fyddai'n troi i edrych o'i ôl hyd nes y bydden nhw wedi hwylio allan mor bell ag y bydden nhw'n mynd, er mwyn gweld yr arfordir yn ei ogoniant.

Trodd Freyja y llyw bach roedd hi a llond llaw o'r Ni wedi bod yn gweithio ar ei berffeithio. Doedd dim dal y byddai'r cwch yn gweithio'n ddigon da i'w cludo adre heb iddyn nhw orfod defnyddio rhwyfau, felly roedd hi wedi gofalu cynnwys pedair rhwyf ar y dec. Prin fod lle i'r pedwar ohonyn nhw droi, ond roedd hi wedi llwyddo i glymu'r hwyl gryfaf y gallai'r trigolion fod wedi'i chreu o hen ddarnau enfawr o blastig y daethon nhw o hyd iddyn nhw mewn siediau wrth yr harbwr. Dalient yn gyfan fel y dydd y'u lluniwyd. Roedd hi'n ffyddiog y daliai'r hwyl, cyhyd â bod y mast bychan a gododd yn parhau'n sownd wrth waelod y cwch.

Cofiodd Cai am y noson y glaniodd e gyda'r pump arall ar y *Mimosa*, gan ymddangos fel bwgan allan o'r cwch achub bach a oedd yn sownd wrth y prif gwch hwylio nes dychryn y lleill, a chynddeiriogi Gunnar. A Gwawr wrth ei ochr yn achub ei gam drwy'r cyfan.

'Drychwch!' gwaeddodd Freyja, gan syllu i gyfeiriad Aberystwyth.

Trodd Cai a gweld y dref yn ysblennydd ar ben draw'r glesni. Daliai'r haul y gwydr a oedd yn weddill yn ffenestri'r rhes flaen o dai wrth y traeth, a gwneud iddyn nhw wenu fel sêr. Roedd e wedi dod yn agos at gasáu Aberystwyth dros y flwyddyn ddiwethaf, ond fel gwyrth, ar amrantiad, roedd e'n dechrau cwympo'n ôl mewn cariad â'r lle. Methai gredu'r teimlad.

'Anhygoel!' meddai, bron yn ymladd am ei wynt.

'Ydi, mae e,' cyfaddefodd Olaf.

Roedd Wotsi hefyd yn rhythu i gyfeiriad y dref roedd e mor gyfarwydd â hi o gyfeiriad gwahanol.

'Is mei-sing!' ebychodd.

Gwenodd Freyja, cyn dechrau eu gorchymyn i'w lleoedd unwaith eto.

'I fyny bo'r nod,' meddai gan droi i wynebu'r gogledd.

14

Dihunodd Anil wrth glywed rhywun yn sibrwd ei enw yn ei glust. Am eiliad, meddyliodd mai Cai oedd yno, wedi dod drwy haenau o gwsg i'w achub ar gwch dros y môr o Gymru. Ond gwelodd wrth agor ei lygaid mai Antoine oedd yno, yn ei gwrcwd ar lawr wrth ei wely ar y bync gwaelod.

'Be?'

Gosododd Antoine ei fys ar ei geg. Yna plygodd ei ben nes bod gwres ei wefusau bron â chyffwrdd â'i glust.

'Tu allan. Nawr.'

Wnaeth Anil ddim holi mwy. Cododd ei goesau dros erchwyn y gwely ac estyn am ei grys. Gadawodd i Antoine fynd drwy'r drws yn ddistaw bach, cyn bwrw cipolwg dros weddill y gwlâu. Roedd Jean-Luc yn cysgu'n drwm ddwy droedfedd oddi wrtho, yn y bync uwchben ei fync e, ac yn chwyrnu'n ddigon swnllyd.

Aeth allan. Doedd dim golwg o Antoine. Ond daeth siffrwd hanner chwiban o gyfeiriad y goeden a gwyddai Anil ei fod e'n sefyll y tu ôl iddi, yn y bwlch bach rhyngddi a'r ffens. Ni allai ei weld o gwbl yn y cysgod. Aeth Anil yr ochr arall i'r goeden, i guddio yn yr un modd ar yr ochr honno, ond roedd golau'r lleuad yn ei fradychu. Gobeithiai na ddôi neb i chwilio am gydnabod, neu Jojo, neu Chwilen hyd yn oed, a'u dal.

Teimlai braidd yn ddig fod Antoine yn ei beryglu yn y fath fodd: beth na allai ei ddweud wrtho yn y caeau, neu ar y buarth wrth fwyta'u swper? Ar y llaw arall, roedd e'n llawn cywreinrwydd.

'Be sy?'

'Angen i ti wybod rhai pethau,' meddai Antoine.

Amneidiodd Antoine arno i fynd i lawr ar ei bengliniau. Gwnaeth Anil hynny, a deall ei fod e wedi'i guddio felly gan gysgod y caban. Ag un bob ochr i fonyn y goeden, allan o olwg y byd a'i bobl, dywedodd Antoine wrtho fod ganddo wybodaeth: gallai Anil naill ai gnoi cil a gweithredu ar y wybodaeth honno, neu ei gwrthod a'i hanghofio.

'Iawn…' meddai Anil, er nad oedd e'n deall dim.

'Mae criw ohonon ni'n mynd i oresgyn y Llyw,' dechreuodd, a bu bron i Anil chwerthin. 'Dwi o ddifri,' meddai Antoine. 'Does gen ti ddim syniad faint o wrthwynebiad sy 'na i'w gyfundrefn e.'

'Caethwas wyt ti,' meddai Anil. 'Mewn gwersyll, a ffensys uchel a dyn â chwip, Chwilod â be chi'n galw, swrthddrylliau.'

'Fe ddweda i eto,' meddai Antoine, ac am unwaith, fe welodd Anil fod ei gyfaill yn ddiamynedd ag ef, ac yn gyfan gwbl o ddifrif ynglŷn â'i neges. 'Mae 'na fwy o anniddigrwydd nag wyt ti'n ei feddwl. A'r rheswm am hynny yw ei fod e'n gudd. Y cam cyntaf, a'r olaf, bob tro i'r Llyw yw lladd neu garcharu. Tagu gwrthsafiad, mygu gwrthwynebiad yn y crud.

Felly, dyna pam nad wyt ti, na'r rhan fwya o neb arall, yn gwybod be sy'n digwydd dan yr wyneb.'

'Be sy'n digwydd?' holodd Anil. Roedd neges Antoine yn dechrau codi ofn arno.

'Mae cynlluniau ar y gweill i ymosod ar blasty'r Llyw,' meddai Antoine. 'Ei oresgyn e.'

'Na!' meddai Anil. 'Allwch chi ddim! Allwch chi ddim, ddim y plasty…'

'Anil, pwylla am eiliad,' meddai Antoine. 'Pam wyt ti'n meddwl 'mod i'n rhannu'r wybodaeth gyda thi? Yn y plasty mae dy fam, dwi'n gwybod hynny. Dyna pam y cei di wybod mewn da bryd i'w rhybuddio hi. Ond allwn ni ddim fforddio mentro y cadwith hi'r wybodaeth rhagddo fe.'

'Dwi'n siŵr…' dechreuodd Anil.

'Na, Anil. Beth bynnag wyt ti'n ei wybod amdani, hi yw cariad y Llyw. Allwn ni ddim ymddiried ynddi i wneud y peth iawn.'

'Gallwch!' mynnodd Anil.

Roedd e'n nabod ei fam yn iawn. Gwyddai nad oedd hi'n rhannu hanner ei dioddefaint ag e. A gwyddai hefyd nad o ddewis roedd hi'n cael ei chaethiwo i fod yn 'gariad' i'r diafol ei hun.

'Hyn fydd yn digwydd,' meddai Antoine. 'Pan ddaw'r alwad i ymosod, fe fydda i, a'r llond llaw yn y gwersyll sy'n aelodau o garfan y gwrthwynebwyr, yn gadael y gwersyll. Fe gei di ddod hefyd, i fynd i rybuddio dy fam ar y funud olaf, ond nid cyn hynny.'

'Ond sut?!' Bron na allai beidio â gweiddi: sut ar y ddaear

oedd carfan o gaethion yn mynd i lwyddo i ddianc o'r gwersyll at y gwrthwynebwyr eraill? Onid oedd y ffŵl dwl yma'n deall ystyr bod yn gaethion?

Trawodd Antoine fonyn y goeden. 'Hon, ynde?'

Edrychodd Anil i fyny'n ddiddeall. Rhaid bod deg troedfedd ar hugain isaf y goeden yn llyfn fel wyneb babi, heb gainc na changen na rhych digon mawr i neb allu gosod ei droed.

'Aros tan yr eiliad iawn, dyna'r peth,' meddai Antoine. 'Fe aiff bync ar ei ben â thi ddeuddeg troedfedd i fyny, a chadair dair ar ben hynny. Ac os edrychi di'n uwch, fe weli di gnotyn lle mae 'na gangen wedi'i thorri mewn oes a fu. Os estynni di dy freichiau o'r fan honno fe gyrhaeddi di'r brigau, ac yna, fe alli di ddringo lawr yn ddigon rhwydd at uchder y ffens…'

'Ffens drydan,' atgoffodd Anil ef.

'Sy'n cael ei diffodd ar gyfer ei thrwsio pan fydd rhywbeth digon mawr yn cael ei daflu at ran arall ohoni.'

Cyn i Anil ddechrau holi roedd Antoine yn amlinellu'r cynllun yn ei gyfanrwydd. Byddai aelod o'r criw'n taflu gwaelod bync arall at y ffens ym mhen arall y gwersyll. Digon i niweidio'r trydan, digon i dynnu sylw a pheri i'r ffens gael ei diffodd tra byddai'r gwarcheidwaid yn bwrw golwg drosti. Digon o gyfle i hanner dwsin ddianc dros y ffens.

'Be am Jean-Luc?' holodd Anil. Byddai hwnnw'n ddigon parod i ollwng y gath o'r cwd wrth y rhai a'i cadwai'n gaethwas er mwyn ennill rhyw grystyn neu ddau ychwanegol.

'Mater o amseru yw'r cyfan,' meddai Antoine. 'Erbyn i Jean-Luc gael ei glywed, fe fyddwn ni wedi dianc yn bell, a'r gwrthryfel wedi hen ddechrau. Fydd neb ohonon ni'n gwbod pryd fydd hynny tan y funud ola.'

Poenai Anil ei fod e'n cael ei dynnu i mewn i hyn, ac yn fwy na hynny, poenai am nad oedd e i'w weld yn gallu atal ei hun rhag cerdded i mewn iddo o'i wirfodd.

Ond beth oedd ganddo i'w golli mewn difri, gofynnodd iddo'i hun.

'Fel dwedes i, fe gei di gyfle i rybuddio dy fam,' addawodd Antoine. 'Ac os mai methu wneith y gwrthryfel, fe awn ni i fyw i'r Gwyllt,' ychwanegodd, yn rhy ddidaro o'r hanner.

Af i byth 'nôl i Gymru o'r fan honno, meddai Anil wrtho'i hun, o leia mae rhyw obaith o allu gwneud hynny o'r fan hon.

Llyncodd Anil ei boer: peth creulon oedd gobaith, peth sy'n gallu arwain rhywun ar gyfeiliorn.

Cododd Antoine ar ei draed gan edrych o'i gwmpas. Rhwbiodd y llwch oddi ar ei drowsus. Gwnaeth Anil yr un fath.

'Meddylia dros y peth,' meddai Antoine wrtho gan anelu am y drws, a'i lais yn swnio mor ddidaro â phe bai wedi gofyn i Anil ddewis rhwng paned gynnes o de a gwydraid o laeth oer.

*

'Mae'n bryd iddi fynd i'r fferm,' datganodd y Llyw.

Roedd e'n gwylio Gwawr yn cael gwersi gan Sira a Rasi ar sut i ddefnyddio'r hofrannwr. Methai ddal ei chorff fel roedd hi i fod, a chwympodd dro ar ôl tro oddi ar y teclyn, gan chwerthin cymaint nes na allai godi ar ei thraed.

Safai Mira y tu ôl iddo, yn gwylio'r sgrin dros ei ysgwydd. Gweithiai ar ei wallt â'r rholeri bach cynnes a wnâi iddo gyrlio, oedd mor ffasiynol i ddynion y dyddiau hyn: po fwyaf y gyrlen, mwyaf o gryfder a iechyd oedd yn y cnawd, neu dyna'r awgrym. Ond gwir neu beidio, roedd y Llyw yn awyddus iawn i gynnal unrhyw argraff a greai ar feddyliau ei bobl.

'Rho ddiwrnod neu ddau arall iddi.'

'Mae hi wedi cael digon o amser. A dwi wedi blino ar ei gwylio hi'n chwarae'n wirion ar yr hofrannwr. Ar y bwyd mae hi'n ei fwyta, fe eith hi'n dew, a dyw tew ddim yr un fath ag iach. Cymedroldeb sy'n bwysig, cydbwysedd…'

Disgynnodd Gwawr oddi ar yr hofrannwr am y degfed tro.

'… ac mae'n amlwg nad oes ganddi fawr o hwnnw.'

Parhaodd Mira i weindio'r tiwbiau'n dyner yn ei wallt, ond roedd hi'n ofidus. Cofiai ei hamser hi ar y fferm yn rhy dda. Pedair ohonyn nhw oedd yno yn ei dyddiau hi a'r tair arall wedi'u taflu'n ysglyfaeth i adar rheibus yn y Gwyllt bellach.

Ar y fferm, câi eu bywydau eu monitro'n barhaus: rhaid oedd bwyta'r union fwydydd a gâi eu gosod yn eu cewyll, ac yna'r weithdrefn ddyddiol o bwyso, archwiliadau, mesur, chwistrellu fitaminau ac ati, a'r driniaeth fisol ddiflas o gynaeafu wyau i'w ffrwythloni cyn eu plannu yng nghrothau menywod Afallon.

Hyd heddiw, roedd edrych ar unrhyw un o blant Afallon, a gwybod efallai mai hi oedd ei fam, yn anodd i Mira. Magodd groen i hynny dros y blynyddoedd, a dysgodd beidio ag oedi gyda'r meddyliau hynny'n rhy hir. Yn yr orfodaeth yr oedd y gorthrwm. Fel mam, cydymdeimlai ag unrhyw ddynes na allai eni plentyn byw, ond heb allu dewis helpu ohoni ei hun, nid rhodd oedd ei hwyau, ond rhan ohoni a reibiwyd ganddi drwy ormes, drwy orfodaeth, drwy rym, yr un grym ag a'i cipiodd hi o'i gwlad, oddi wrth ei phobl, a'i phlentyn ei hun.

Ac roedd tynged debyg yn wynebu Gwawr. Gwaedai ei chalon dros y ferch ar y sgrin, yn cael y fath hwyl, mor ddiniwed, yn gwybod dim.

Ddeuddydd yn ôl roedd Gwawr wedi gofyn iddi eto pryd y dôi Anil yn ei ôl, ac roedd Mira wedi gallu ateb, yn ymddangosiadol ffwrdd-â-hi y tro hwn – roedd hi'n barod am y cwestiwn – y dôi ymhen diwrnod neu ddau arall, ei bod hi'n anodd dweud gyda'r teithiau hyn, ond na fyddai'n hir, ac y câi hi ei weld cyn gynted ag y dôi. Pa les fyddai'r gwirionedd heb allu i'w osgoi?

Yna, roedd y ferch wedi gofyn pa bryd y caen nhw fynd adre, hi ac Anil, a lle roedd mam Anil yn byw, roedd hi am ei gweld, am ei chyfarfod, un fflyd o gwestiynau. Ond roedd Mira wedi paratoi ar gyfer pob un ohonyn nhw, ac wedi egluro fod mam Anil hefyd yn gwneud gwaith allanol, rai milltiroedd oddi yno, ac y câi hi gyfarfod â honno hefyd ymhen y rhawg.

Ac roedd Gwawr wedi mynd, mor hapus â'r gog, gan lyncu'r celwydd heb ei gnoi.

'Dy waith di fydd mynd â hi yno, i'r fferm.'

'Fi?' Daliai gudyn o'i wallt du yn ei llaw, ar ganol ei weindio.

'Pwy well?'

Gallai weld ei wên wedi'i hadlewyrchu ar y sgrin, lle roedd Gwawr wedi codi ar ei thraed yn ei hôl, ac yn llwyddo i fynd rai llathenni cyn methu cadw cydbwysedd.

'Be sy? Poeni wyt ti y bydda i'n disgyn amdani hi, fel y gwnes i amdanat ti?'

Rhewodd Mira: teimlodd ei brecwast yn codi drwy ei hymysgaroedd. Dal dy afael, gorchmynnodd ei hun yn ei meddwl. Dal dy afael!

'Dere. Does gen i ddim drwy'r dydd,' cyfarthodd y Llyw arni.

Sylwodd Mira fod ei llaw'n crynu wrth iddi weindio'r tiwbyn.

*

'Da!' canmolodd Sira. 'Ti'n dechrau ei deall hi!'

'Mae'n deimlad rhyfedd,' meddai Gwawr wrth ei hymyl: hofran uwch y llawr ar gyflymder o chwe milltir yr awr, ar ddarn bach o fetel, gan siarad â'ch ffrindau o boptu i chi fel pe baech chi'n cerdded ar hyd y lôn. 'Ga i fynd ag un 'nôl adre gyda fi?'

'Cei, siŵr o fod,' meddai Rasi. 'Fe weithiai am gwpwl o oriau cyn i'r batri redeg allan.'

'O ie,' meddai Gwawr yn ddiflas. 'Hwnnw.'

Bron wythnos, meddyliodd, y tu ôl i'w gwenau: pryd oedd

Anil yn mynd i ymddangos? Roedd hi wedi ceisio peidio gofyn gormod, a'r rhain mor garedig wrthi, yn ei derbyn, yn creu hwyl wrth ddangos rhyfeddodau Afallon iddi. Ni allai wadu nad oedd y cyfan wedi bod yn anferth o sbort, cerdded i mewn i fyd newydd, a darganfod pethau newydd arloesol yn dragywydd. Un antur fawr oedd pob munud o bob dydd. Ond yng nghefn ei meddwl, roedd hi wedi dechrau amau'r atebion a roddai pawb mor ddidaro am Anil. Ble oedd e go iawn?

'Galli di ddysgu llawer am dechnoleg solar,' meddai Sira. 'Mynd â'r wybodaeth adre gyda thi hyd yn oed os na alli di fynd â'r batrïau eu hunain.'

Roedden nhw'n siarad fel pe bai hi'n mynd i gael mynd adre cyn hir. Câi ei chynnal gan hynny. Fe ddôi'r diwrnod gyda hyn, pan fyddai'r peirianwyr wedi sicrhau bod yr awyren mewn cyflwr perffaith i groesi Môr Iwerydd, pan fyddai'r cyflenwad o ynni solar wedi cynhyrchu digon i'w chludo hi ac Anil, pan ddôi hwnnw'n ôl o ble bynnag roedd e…

Byddai'n hoffi cyfarfod â mam Anil. Digon posib y câi: roedd hi hyd yn oed yn bosib y dôi hi'n ôl gyda Gwawr ac Anil.

Roedd Rasi wedi rhoi'r gorau i hofran, ac yn gorwedd ar ei chefn ar wair meddal y parc. Gwenodd pan welodd Gwawr yn nesu ar ei hofrannwr.

'Ara deg nawr,' meddai gan hanner chwerthin wrth wybod na fyddai Gwawr yn llwyddo i arafu a stopio'n ddigon celfydd i osgoi cwymp arall o droedfedd rhwng gwaelod yr hofrannwr a'r ddaear.

'Aw!' sgrechiodd Gwawr wrth i'r hofrannwr stopio ar unwaith pan wasgodd y botwm ar yr astell bren â'i throed. Bachodd gwaelod ei ffrog yn y platfform a chafodd ei thaflu ar y glaswellt yn ddiseremoni. Daeth Sira i stop yn berffaith wrth ei hymyl a chwerthin lond ei bol ar ymdrech dila Gwawr.

'Rwyt ti wedi cael oes o ymarfer,' meddai Gwawr wrthi drwy ei chwerthin ei hun. 'A dyw hi ddim yn help fod y ffrog 'ma'n bachu yn y gwaelod o hyd. Ydych chi ddim yn cael gwisgo trowsus yn y lle 'ma?'

'Ych a fi, am hyll!' trodd Sira ei thrwyn. 'Dynion sy'n gwisgo trowsus.'

'Mae'n gwneud synnwyr i fenywod wneud hefyd,' dadleuodd Gwawr. 'I allu defnyddio'r peth 'ma.'

Sylwodd Gwawr fod Mira wedi ymddangos wrth y gât bren i'r parc. Cododd ei llaw arni.

'Dy angel gwarcheidiol,' meddai Sira.

Roedd Mira wedi gofalu'n garedig iawn am Gwawr ers iddi gyrraedd. Hi oedd yno yn y bore i'w helpu i ddewis ffrog, a hi oedd yno i ddangos iddi ble roedd pob dim, ble roedd y ffreutur, ble roedd yr ymolchfa. Ond ers diwrnod neu ddau, a Gwawr yn gallu dod o hyd i'w ffordd o gwmpas y plas, a rhannau o'r dref, yn eithaf da, ac ers iddi ddod yn gymaint o ffrindiau gyda Sira a Rasi, roedd hi'n gweld llai a llai ar Mira.

Ac o bawb yn Afallon, Mira oedd yr un oedd yn achosi penbleth iddi. Hi oedd yr unig un oedd yn gwneud iddi deimlo ychydig bach yn anghyffyrddus. Ar y cychwyn, Mira oedd wedi gwneud iddi deimlo'n gartrefol, wedi ei chroesawu i Afallon fel pe bai Gwawr yn ferch iddi, wedi tawelu ei meddwl y câi hi fynd adre heb fod yn hir, ac i beidio â bod ofn o gwbl, i geisio gwneud yn fawr o'r amser oedd ganddi yma. Ond dros yr wythnos, roedd hi fel pe bai hi wedi cilio fwyfwy, a'r geiriau o gysur yn llai aml, a byth heb eu cymell gan gwestiwn gan Gwawr. Roedd rhyw olwg yn ei llygaid hi weithiau…

'Gwawr, wnei di ddod yma?'

'Wps,' meddai Sira. 'Well i ti ufuddhau. Amser chwarae ar ben.'

'Wela i chi wedyn?' gofynnodd Gwawr. 'Amser swper?'

'Wrth gwrs,' meddai Rasi. 'Amser swper.'

Rhedodd ar draws y lawnt yn droednoeth, a'i sandalau yn ei llaw. Gwenodd Mira arni, gwên fach straenllyd a wnaeth i Gwawr ofyn: 'Be sy?'

Rhoddodd Mira ei braich drwy fraich Gwawr. 'Awn ni'n ôl i fy stafelloedd i.'

Roedd gan Mira ystafelloedd iddi hi ei hun – ystafell wely, ystafell ymolchi, ac ystafell fyw braf a edrychai allan dros holl drefedigaeth Afallon. Doedd Gwawr erioed wedi bod yn agos at y rhan o'r plas lle roedd ystafelloedd y Llyw, ond roedd hi wedi bod yn ystafell fyw Mira ddwywaith neu dair, yn cael trin ei gwallt neu goluro ei hwyneb. A phrofiad rhyfedd ar y naw oedd hwnnw, rhywbeth na ddychmygodd y profai byth, er iddi ddarllen am golur a choluro. Doedd hi erioed wedi deall synnwyr gosod hylif ar wyneb. Gallai ddeall sychu baw a dŵr ac unrhyw beth arall oddi arno, ond ni allai ddirnad gosod hylif ar y croen o wirfodd. Harddwch? Wel, ni welai hynny chwaith: taenu lliw dros wrid iechyd a lliw haul, a gwrid annaturiol ar wefusau, yn union fel pe bai rhywun wedi bod yn sugno gwaed rhyw anifail a heb sychu ei geg. Y lliwiau tywyll ar lygaid wedyn, er mwyn dynwared llygad ddu?

Ond doedd dim yn well na chael bysedd rhywun arall i chwarae â'i hwyneb a'i gwallt, felly byddai wedi gorwedd yn ôl yn barod i gael ei hwyneb wedi'i beintio â mwd er mwyn cael y teimlad braf hwnnw. Ac roedd Mira'n ddewines: ymlaciai fel na wnaethai erioed o'r blaen o dan ei chyffyrddiad. Byddai'n rhaid iddi ddysgu Cai neu Olaf neu Freyja sut i feistroli'r busnes coluro 'ma.

Ond doedd Mira ddim am goluro heddiw. Eisteddodd Gwawr yn y gadair esmwyth anferth a oedd fel nyth amdani, ei hoff gadair yn y byd. Roedd ffrog yn hongian wrth ddreser ym mhen arall yr ystafell, ffrog blaen gwta, o liain llwyd. Doedd hi ddim yn debyg i'r ffrogiau llaes hardd a wisgid gan fenywod eraill Afallon, a glaniodd llygaid Gwawr arni'n syth am ei bod hi'n edrych allan o le braidd yn yr ystafell hardd.

'Hon dwi'n ei gwisgo i swper?' holodd gan fynd ati i'w gweld yn well. Roedd hi'n edrych fel sach, heb siâp o gwbl iddi.

Ni ddaeth ateb gan Mira. Syllai ar Gwawr a'i cheg ar agor, ond ni ddôi gair o'i genau.

'Mira? Wyt ti'n iawn?'

Yr eiliad nesaf, roedd Mira'n rhedeg i'r ystafell ymolchi gan ddal ei cheg. Mentrodd Gwawr ei dilyn o hirbell, ond arhosodd wrth glywed y ddynes yn chwydu ei pherfedd i'r tŷ bach. Edrychodd Gwawr o'i chwmpas, fel pe bai ateb yn yr ystafell a wnâi i Mira deimlo'n well. Rhaid ei bod hi wedi bwyta rhywbeth nad oedd yn cytuno â hi. Gwrandawodd eto ar bwl arall o chwydu o gyfeiriad yr ystafell ymolchi.

Eisteddodd. Yn rhyfedd iawn, dyma'r tro cyntaf ers iddi gyrraedd Afallon iddi glywed am unrhyw salwch neu unrhyw aflwydd. Ystyriodd pa mor berffaith roedd pethau i'w gweld yma. A sylweddolodd mai 'i'w gweld' roedden nhw hefyd. Prin y gwelodd arlliw o wendid neu o salwch, neu o dlodi neu ddiffyg o unrhyw fath. Dim budreddi. Dim o'i le. Dim byd yn llai na pherffaith.

Ond gwyddai Gwawr cystal â neb fod budreddi'n rhan o fywyd, fod rhywun yn rhywle yn gorfod clirio, glanhau, paratoi, gweithio gyda budreddi fel bod y cyfan yn lân i'r gweddill. Oedd, roedd morynion yn y plas, a gweision, yn cludo a chario a thwtio, ond doedd mecanwaith bywyd, y gwneud go iawn, ddim yn y golwg yn Afallon. Efallai mai dyna oedd mor ddeniadol am y lle, ei allu i guddio'r gweithio, yn union fel roedd ei mam-gu'n arfer cuddio'r pwythau cychwyn a gorffen ar ddarn o weu neu wnïo drwy eu gwthio o'r golwg ym mherfedd y cyfanwaith.

Clywodd Gwawr dap yn rhedeg yn yr ystafell ymolchi. Cododd i archwilio'r ffrog. Teimlai'n ddigon meddal, ac roedd hi'n ddigon di-fai yn ei ffordd ei hun. Ond roedd hi'n gwbl wahanol i'r ffrogiau hir a lifai oddi ar gyrff y menywod eraill, yn wahanol iawn yn wir i'r ffrog a wisgai ar hyn o bryd a wnâi iddi deimlo'n gymaint o ddynes. Os mai hon roedd hi i fod i'w gwisgo i swper, byddai pawb yn siŵr o edrych yn rhyfedd arni.

Daliodd rhywbeth disglair ei sylw ar y dreser. Ynghanol

llestri lliwgar, a thlysau a hongiai oddi ar fachau bach cain, wedi hanner ei guddio y tu ôl i jwg hardd, roedd petryal bach rhydlyd yn hongian ar gadwyn.

Wrth syllu'n agosach, gallai Gwawr weld llun afal arno, afal roedd rhywun wedi cymryd cnoad ohono, a daeth atgof clir fel gordd i feddwl Gwawr fod Bwmbwm, unwaith, wedi enwi mam Anil.

Daeth Mira allan o'r ystafell ymolchi a lliain yn ei llaw.

15

O’R DIWEDD, ROEDD hi wedi cael trefn ar ei meddyliau, wedi llwyddo i gael gwared ar y stwmp ar ei stumog a fu yno ers y bore, a bellach roedd ei meddwl hi’n glir.

Byddai’n rhaid iddi wneud fel roedd y Llyw wedi’i ddweud. Doedd dim ffordd arall. Os na lwyddai i gael Gwawr i’r fferm erbyn nos, byddai’r Llyw ei hun yn gorchymyn i’r Chwilod wneud y gwaith. A chanlyniad hynny fyddai mwy o ofid i Gwawr, ac iddi hithau.

Gwyddai Mira’n dda na wnâi’r Llyw orchymyn iddi gael ei lladd. Gwyddai’n dda ei bod hi’n gaeth i’w gariad, na châi ddedfryd o farwolaeth hyd yn oed i’w rhyddhau. Ond roedd gan y Llyw ffyrdd eraill o ddial arni ers iddo gipio Anil. Anil fyddai’n dioddef, Anil oedd wedi dioddef yn barod, ac Anil fyddai’n dioddef eto. Ofnai am ei bywyd y byddai’r Llyw yn ei ddedfrydu i’r un dynged ag y dioddefodd cymaint o rai eraill, babanod yn bennaf ond eraill hefyd, am na chawsant eu geni yn fodau a gydymffurfiai â’i ddiffiniad ef ei hun o ‘normal’.

Rhaid fyddai rhoi’r chwistrelliad iddi, ei rhoi i gysgu, er mwyn ei chludo i’r fferm. Er mwyn Anil, atgoffodd Mira ei hun.

‘Wyt ti’n well?’ holodd Gwawr a chamu tuag ati.

Gafaelodd Mira'n dynnach yn y chwistrell o dan y lliain, gan ofalu peidio gwasgu'r pen uchaf. Byddai wedi bod yn well ganddi chwistrellu ei braich ei hun. Ond doedd dim ateb arall. Doedd dim ateb o gwbl, dim ond ufuddhau i orchymyn y Llyw. Ffermio wyau Gwawr. Cadw Anil yn fyw. Dyna i gyd. Cadw Anil yn fyw.

'Beth yw hwn?' holodd Gwawr, ac agor ei llaw.

Arni gorweddai tlws Anil. Y tlws a wisgai am ei wddw yng Nghymru pan gafodd ei gipio. Y tlws a gadwodd Mira yn y gobaith y câi ei ddychwelyd i Anil ei wisgo ryw ddydd.

Tlws rhydlyd gweddillion yr hen fyd.

Rhythodd Mira'n fud ar y ferch. Ceisiodd ysgwyd ei phen. Ceisiodd estyn ei llaw o dan y lliain a brechu'r ferch. Ond ni allai symud.

'Anil bia hwn,' meddai Gwawr wedyn.

'Na. Ie… Na,' meddai Mira. 'Anil…' Doedd ei cheg ddim yn caniatáu iddi ddweud fel arall. Na, meddai yn ei phen, gwada! 'Rhywbeth ddoth gyda fe, ie…'

'Pwy wyt ti?' holodd Gwawr, a gwelodd Mira lygaid y ferch y tywyllu. 'Dwed pwy wyt ti, Mira,' meddai wedyn, heb ynganu'r 'r' Ffrengig.

Roedd hi wedi delwi, a'i hwyneb yn wyn, wyn. Rhoddodd y lliain i lawr ar y bwrdd bach wrth ymyl y soffa.

'Mira?' pwysodd Gwawr eto. Roedd hi'n amlwg yn cuddio rhywbeth. Roedd Gwawr yn gwybod o'r cychwyn fod yna ryw wirionedd yn llechu y tu ôl i'r llygaid tywyll, a damiai ei hun am fod mor ara deg yn cofio'i henw. Yr ynganiad Cymraeg o'i henw.

Gwyddai ei bod hi'n anghwrtais, yn gwasgu ar y ddynes nad oedd ond rhai blynyddoedd yn iau na'i mam. Ond ble bynnag oedd Anil, roedd e wedi mynd heb ei dlws, y tlws roedd e wedi'i wisgo am ei wddw ers iddi ei gyfarfod gyntaf, y tlws nad oedd e byth yn ei dynnu.

'Anil bia hwn,' meddai Gwawr. Datganiad, nid cwestiwn. 'Ble ma Anil felly?'

Rhoddodd Mira ei llaw allan i afael yng nghornel y ddreser i sadio'i hun. Aeth Gwawr ati wrth ei gweld yn simsan a dweud wrthi am eistedd. Cynhaliodd ei braich nes ei bod hi'n ddiogel ar ei heistedd. Plygodd Mira ei phen.

'Yng ngwersyll y caethion,' meddai, a bu'n rhaid iddi ei ailadrodd i Gwawr ddeall.

Teimlodd Gwawr yr ystafell yn troi.

'Caethion?' ailadroddodd, rhag ofn mai'r Lingua oedd yn chwarae triciau â hi.

Nodiodd Mira heb edrych arni. Anadlodd yn ddwfn, tra bod Gwawr yn treulio'r wybodaeth. Rhedai llif o gwestiynau drwy ei meddwl ond doedd yr un yn gwneud synnwyr. Doedd yr un yn dilyn y llall. Afallon oedd y lle yma. Doedd dim caethion yn Afallon.

Oedd 'na?

Roedd Mira wedi ymadfer rhywfaint, ac yn anadlu'n ddwfn. Pwysodd yn ei blaen i godi oddi ar y soffa. Estynnodd am y lliain ar y bwrdd bach a gwelodd Gwawr hi'n codi rhywbeth oddi tano.

'Caethwas yw e,' meddai Mira. 'Ond mae e'n fyw.' Roedd penderfyniad yn ei llais.

A gwelodd Gwawr yn rhy hwyr mai chwistrell yn llawn hylif oedd ganddi yn ei llaw. Â'i llaw arall, roedd Mira wedi gafael ym mraich Gwawr yn dynn, a chyn iddi gael cyfle i feddwl beth oedd yn digwydd go iawn, roedd Mira wedi codi'r chwistrell at fraich Gwawr.

*

Tap tap tap-tap-tap. Dihunodd Anil. Gwrandawodd. Ai breuddwydio roedd e? Yn aml, breuddwydiai ei fod e'n clywed tapio'i fam, ond pan âi at y drws, fyddai neb yno, neu byddai un arall o drigolion y caban wedi codi i'w agor i un o'u cydnabod. Weithiau, mewn hunllefau, byddai'n codi i ateb y drws i garfan o Chwilod a swrthddrylliau, a gwaeth. Ac ers i Antoine sôn wrtho am y gwrthwynebwyr, doedd e ddim yn siŵr beth i'w ddisgwyl. Doedd Antoine ddim wedi siarad ag e ers hynny.

Gwyddai Anil ei fod e'n disgwyl ateb ganddo: a fyddai'n cefnogi'r gwrthwynebwyr? Ofnai mai dyna'r unig ffordd oedd ganddo o achub bywyd ei fam pe bai gwrthryfel yn dechrau – *pan* fyddai'r gwrthryfel yn dechrau. A hyd yn oed wedyn, gallai fod yn rhy hwyr. Ond roedd peidio â'u cefnogi, aros yma a disgwyl i'r cyfan ddod i ben, yn ddewis anodd hefyd. Pe bai'r gwrthryfel yn methu, byddai ar ben ar bawb ohonyn nhw, yn ddigon posib, a byddai ef, drwy wrthod cymryd rhan, yn rhannol gyfrifol am ei fethiant.

Daeth y tapio unwaith eto, yn dawelach y tro hwn. Cododd Anil ar ei eistedd a gwrando. Doedd neb arall wedi adnabod y tapio, neb wedi codi. Aeth i agor y drws.

*

Prin fod Gwawr yn ei adnabod. Lledai clais du a melyn dros ei arlais, a hen glwyf yn ei ganol wedi dechrau gwella. Roedd ei wallt wedi'i dorri'n fyr, a'r dillad garw brown fel sach amdano.

Welodd e mo Gwawr i ddechrau. Roedd Mira wedi gorchymyn iddi sefyll yng nghysgod y goeden rhag i rywun arall agor y drws.

'Mam?' meddai, yn amlwg yn methu deall beth oedd hi'n ei wneud yno. Chwiliai ei lygaid am y bwyd a fyddai ganddi, ac o weld dim, bradychai ei wyneb ei ofid ynglŷn â beth allai fod wedi achosi iddi ddod yno.

Gwyddai Gwawr ei bod hi wedi bod yn lwcus. Pan afaelodd Mira yn ei braich, yn barod i wthio'r chwistrell i'w chnawd, roedd Gwawr wedi llwyddo i'w stopio drwy ddweud, 'Mam Anil' wrthi, a pharodd hynny i Mira oedi am eiliad, cyn anelu'r nodwydd –

'Na, paid!' sgrechiodd Gwawr wedyn.

'Aros yn llonydd!' ysgyrnygodd Mira arni gan afael yn dynn yn ei braich. 'Aros yn llonydd!'

Yna, roedd Mira wedi gwasgu. Llond chwistrell o hylif cysgu, yn ddwfn i ddefnydd ei llawes.

'Fe fyddi di'n cysgu mewn deg eiliad,' meddai Mira wrthi drwy ei dannedd, a'i llygaid yn erfyn arni.

Rhedodd y meddyliau drwy ben Gwawr. A oedd y ddynes o ddifrif o dan yr argraff iddi ei chwistrellu? Roedd hi'n amlwg mai i ddeunydd ei ffrog y gwthiodd hi'r nodwydd. Deallodd mai am iddi esgus yr oedd hi. Gwelodd Mira'n estyn bordyn metel hir o gwpwrdd.

'Gorwedd!' gorchmynnodd Mira'n siarp.

Ufuddhaodd Gwawr. Gorweddodd ar y bordyn ar lawr, a theimlo ei hun yn codi, yn hofran droedfedd uwchben y llawr, pan wasgodd Mira fotwm ar ei waelod.

Wrth blygu drosti, sibrydodd Mira, 'Cysga' wrthi, ond roedd Gwawr eisoes wedi cau ei llygaid.

Ac yn y coed ar gyrion y dref, lle roedd y ffordd yn troelli yn y cysgodion, roedd Mira wedi dweud y cyfan wrthi am y fferm, wedi sôn wrthi am yr wyau a fyddai'n achub Afallon rhag diddymdra. Soniodd wrthi am y plant oedd ganddi hi mewn gwahanol fannau yn Afallon a hithau'n gwybod dim pwy oedden nhw.

Deallodd Gwawr fod camerâu mewn sawl rhan o'r plas, gan gynnwys ystafelloedd Mira. Dyna pam y bu'n rhaid iddi esgus ei chwistrellu.

Roedden nhw ar y ffordd i'r fferm ac roedd Gwawr wedi mynnu gweld Anil. Doedd gan Mira ddim cynllun. Wyddai hi ddim beth i'w wneud â Gwawr, ar wahân i ddweud wrth y Llyw ei bod hi wedi dianc cyn cyrraedd y fferm.

'Ma gen i rywun sydd eisiau dy weld di,' meddai Mira wrth Anil.

Cododd Anil ei lygaid at y goeden, a chamodd Gwawr o'r cysgod.

'Anil,' meddai gan estyn ei breichiau amdano. 'Sut wyt ti?'

'16

B U'N DDIWRNOD HIR. Ar ôl gadael Aberystwyth o'u holau, roedden nhw wedi hwylio i'r gogledd, gan gadw'r arfordir yn y golwg a chydhwylio ag ef am rai milltiroedd nes eu bod gyferbyn ag aber afon Dyfi. Gallent weld olion hen fywyd pentrefi neu drefi ar lannau'r afon, ac ar yr arfordir, ond doedd yna'r un o'r mannau hynny'n fawr iawn. Ychydig o waliau cerrig hwnt ac yma, adfeilion a ergydiwyd dros y blynyddoedd gan donnau dilyffethair, a gwyrddni di-ben-draw natur yn tagu pob twll a chornel.

Penderfynodd Freyja y dylen nhw fynd yn eu blaenau gan ei bod hi'n ddiwrnod braf, heb argoel o gwmwl yn yr awyr. Bownsiai'r cwch yn ysgafn ar wyneb y dŵr, nes i'r sigl rythmig ddod yn agos at suo'r pedwar ohonyn nhw i gwsg. Cysgodai Wotsi dan het lydan o wiail tyn, ac roedd gan Cai ddarn o hen frethyn brau yn cysgodi ei wyneb yntau. Roedd wyneb Olaf yn goch erbyn iddo sylwi ar ei losg haul, a thynnodd ei grys i'w osod am ei ben i geisio'i arbed rhag gwaethygu.

Penderfynodd Freyja deithio i fyny'r Fawddach, cyn belled â'r bont doredig a welent yn croesi'r aber heb fod ymhell o geg yr afon. Ymwthiai rhannau o waliau carreg o ganol y cerrig traeth a oedd wedi gorchuddio troedfeddi isaf yr hen dref ar y llaw dde i'r bont. 'Y Bermo' yn ôl Olaf, a oedd wedi bod yn astudio'r mapiau: aber Mawddach.

'Arfer bod,' mwmiodd Cai wrth astudio'r ffurfiau o dan y planhigion a'r tywod a'r cerrig.

Roedd strwythurau ychydig bach yn fwy cyfan i'w gweld ar y graig, waliau wedi disgyn i'r môr gan adael cregyn o dai yn agored i'r tywydd. Faint o amser gymerai i natur lyfu'r cyfan yn ddim, meddyliodd Cai.

Wrth gyrraedd adfail y bont, gallent weld ei bod hi wedi arfer cario rheilffordd. Hongiai darnau ohoni oddi ar y metel trwm a safai ynghanol yr afon. Y tu hwnt iddi, gwelent y mynyddoedd yn ymestyn ymhell at y gorwel.

Allan ar y môr, roedden nhw wedi rhyfeddu at y ffordd roedd y mynyddoedd i'w gweld yn fwyfwy eglur i'r gogledd, yn codi fel pe bai o'r môr, a'r fraich hir draw i'r gorllewin, fel pe bai'n pwyntio. A'r ynys fach ar ei phen draw: Ynys Enlli, yn ôl Olaf.

'Lle'r aeth y saint,' meddai Cai.

'Pa saint?' holodd Olaf.

'Dim syniad,' meddai Cai. 'Rhywbeth ddwedodd Gwawr am Ynys Enlli. Fod 'na saint wedi mynd yno. Dwi'n gwbod dim mwy na hynny.'

'Wot is saint?' holodd Wotsi.

Anadlodd Cai ac Olaf yn ddwfn ac edrych ar ei gilydd: ti neu fi sy am egluro?

'Gofyn i Olaf,' meddai Cai.

'Gofyn i Cai,' meddai Olaf.

'Math o bobol dda,' meddai Freyja.

'Fel y Ni a chi?' holodd Wotsi.

'Ie,' meddai Freyja. 'Ond ddim cweit cystal â'r Ni a ni falle.'

Glaniodd y cwch ar dafod o dywod i mewn i'r aber. Tynnodd Cai ddarnau o gig o'i sgrepan groen ci a'u rhannu rhwng y cwmni. Estynnodd Freyja ei chostrel i bawb gael yfed dŵr ohoni. Hofrannai barcud uwch eu pennau, a gwelodd Olaf un arall ymhellach i fyny'r aber.

'Fe allen ni fynd ymhellach i mewn i'r tir i weld beth welwn ni,' meddai Freyja. 'Ond y bwriad heddi yw dychwelyd cyn nos. Bydd angen llawer mwy o gyflenwadau, pebyll ac ati, os ydyn ni'n bwriadu aros dros nos. Dewis arall yw dychwelyd i lawr yr arfordir, a bwrw i mewn i gyfeiriad hen dre Machynlleth. Gallwn ni wneud hynny a chyrraedd adre cyn iddi dywyllu.'

Cytunwyd ar hynny, ac er mor anodd oedd ailddechrau tynnu ar yr hwyliau ar ôl treulio awren swrth yn gwneud fawr o ddim byd, roedd llawer i'w ddweud dros fod allan ar y tonnau unwaith eto, lle roedd modd taflu dŵr heli dros groen a gochwyd dan haul crasboeth.

Tynnodd Freyja y gwialenni pysgota o'r ceudod ar ochrau'r cwch.

'Dewch,' gorchmynnodd. 'Ychydig o bysgota ar y ffordd at aber y Ddyfi, yn lle'n bod ni'n mynd adre'n waglaw.'

Eisoes, roedden nhw wedi gweld llamhidyddion yn chwarae ymhellach allan yn y bae. Doedd dim gobaith dal yr un o'r rheini. Byddai'n fwy na'r cwch yn un peth, a doedden nhw ddim yn debygol o barhau ar unrhyw fachyn yn hir.

Pwysodd Cai dros ymyl y cwch, gan ddal ei wialen. Yn nyfnderoedd y môr gwyrdd, gwelai'r haul yn creu gleiniau disglair, a'r tonnau mân yn crychu'r wyneb gan newid y patrymau'n barhaus. Teimlodd ei hun unwaith eto'n cael ei suo i lesmair diog, a'i amrannau'n trymhau.

Yn sydyn, roedd hanner y cwch yn yr awyr, wedi'i hyrddio gan ryw rym oddi isod. Clywodd sgrech Freyja, a bloedd o gyfeiriad Wotsi. Mewn amrantiad, ceisiodd Cai feddwl beth aflwydd oedd yn digwydd.

Llamodd yn reddfol i ganol y cwch i geisio'i unioni rhag iddo droi drosodd, a'i feddwl yn rhedeg milltiroedd mewn ffracsiynau o eiliad. Ar ddiwrnod braf diawel bron, beth oedd wedi gwneud i gwch fygwth troi drosodd, a'r un ennyd yn union y daeth yn ymwybodol fod Freyja yn y dŵr, gwawriodd hefyd ym meddwl Cai mai asgell siarc a welsai, droedfedd o drwyn y cwch.

'Freyja!' bloeddiodd yn ei arswyd.

Gwelodd ei hwyneb yn codi dros wyneb y dŵr, yn wyn gan ofn.

'O dduw!' bloeddiodd Olaf.

A'r eiliad nesaf, roedd yntau hefyd yn y dŵr. A oedd e wedi gweld y siarc, meddyliodd Cai, gan neidio i'r dŵr ei hun. O dan y don, gwelodd wyneb Wotsi'n ei wylio'n gegagored a llawn arswyd o ymyl y cwch. Trodd Cai a nofio tuag at Freyja. Roedd y siarc wedi teimlo ergyd y cwch ar ei ystlys, ac wedi parhau i nofio rai llathenni cyn troi.

A nawr, anelai'n syth am Freyja.

Roedd Olaf rai lathenni o flaen Cai, a'r tonnau a greai wrth nofio'n rhwystro Cai rhag nofio mor gyflym ag y dymunai i gyfeiriad Freyja.

Yr eiliad nesaf, roedd pen Freyja wedi diflannu dan yr wyneb. Plymiodd Cai o dan y dŵr.

Nofiodd dan draed Olaf. Clywai guriad ei waed yn pwmpio yn ei ben. Nofiodd yn ei flaen at lle roedd y siarc bron â chyrraedd Freyja.

Cyrhaeddodd yn ddigon agos i allu gafael yn ei throed. Tynnodd â'i holl egni, ond llithrodd troed Freyja o'i afael. Daeth yn ymwybodol o gorff Olaf uwch ei ben. Gallai weld ei gysgod rhyngddo a'r haul.

Gwelodd fod Olaf wedi cyrraedd Freyja, ac yn tynnu ar ei braich. Yr ochr arall iddi, roedd y siarc wedi agor ei geg.

Estynnodd Cai eto am goesau Freyja i'w thynnu o lwybr y siarc.

A'i ysgyfaint yn byrstio, nofiodd ag un fraich yn ôl i gyfeiriad y cwch, a choes chwith Freyja'n dynn dan ei fraich arall. Roedd Olaf yr ochr draw iddi bellach yn nofio'n gryf am y cwch.

Yna roedd y siarc wedi cau ei geg am waelod coes dde Freyja. Gwelodd Cai'r gwaed yn bochio i'r dŵr ar amrantiad.

Trodd ac anelu ei droed am drwyn y siarc, a oedd eisoes yn barod i fynd am gnoad arall. Anelodd ei gic, a llwyddo i ddal trwyn y siarc.

Trodd yr anifail. Yn gyflym, meddyliodd Cai. O'r dŵr! Nawr!

Cododd i wyneb y môr, a ffrwydriad ei anadliad yn swnio fel sgrech yn ei ben. Roedd Wotsi eisoes yn tynnu Freyja o'r dŵr ac Olaf yn ei gwthio i fyny ato.

Gwelodd Cai y siarc yn troi eto, wedi cael blas ar y gwaed yn y dŵr.

'Olaf!' sgrechiodd. Ond roedd Wotsi eisoes yn tynnu Olaf o'r môr. Dim ond Cai oedd ar ôl.

Gyda'i ysfa i fyw yn ffrydio drwy bob gwythïen yn ei gorff gan danio'i gyhyrau, gwthiodd Cai ei hun i fyny drwy'r dŵr fel bwled gan grafangu am ymyl y cwch. Bellach roedd Olaf wedi cyrraedd y cwch ac wedi troi i afael yn Cai. Tynnodd ar un fraich, a thynnodd Wotsi ar y llall, a'r eiliad cyn iddo gyrraedd diogelwch, gallai dyngu ei fod e'n teimlo llif y dŵr ar ei goes wrth i geg y siarc agor eto.

Ond ni chafodd yr anifail ragor o gnawd. Bu'n rhaid iddo fodloni ar dalp pedair modfedd o faint o waelod coes Freyja.

Gosododd y tri hi i orwedd ar waelod y cwch, a chlymodd Cai rwymyn tyn o dan ei phen-glin i stopio'r gwaedu. Roedd hi'n welw, ac ofnai y disgynnai'n anymwybodol. Os collai ormod o waed, byddai ar ben arni. Rhaid oedd pwyso ar ei choes hyd nes y dôi'r gwaedu i ben.

'Aros yn effro, Freyja!' Pwysodd Olaf drosti wrth i Cai drin y clwyf. 'Dal dy afael, ferch!'

'Dwi'n trio,' meddai Freyja'n llipa.

'Tria'n galetach, 'te,' meddai Olaf. A daeth gwên fach wan i wyneb Freyja.

'Faint o ffor?' gofynnodd Wotsi.

Gallai Cai weld y panig yn ei lygaid.

'Bydd angen troi'n fuan, troi am y tir.'

'Wnewch chi byth weithio'r rhaffau hebdda i,' meddai Freyja, a'i llygaid ar gau.

'Paid betio arni,' meddai Olaf. 'Ac agor y llygaid 'na! Pa fath o helwraig sy'n anobeithiol am nofio?! Da i ddim, nag wyt,' meddai, i'w chadw ar ddihun.

'Well na ti,' meddai Freyja, yn wan.

'Gwersi fydd hi, gwersi nofio ar y traeth, gyda'r plant bach.'

Chwarddodd Freyja, er nad oedd owns o egni ar ôl ynddi.

Rywsut neu'i gilydd, fe lwyddon nhw i gyrraedd harbwr Aberystwyth. Rhedodd Wotsi i ganol y dref i roi gwybod i bawb fod Freyja wedi'i chlwyfo, a daeth Gwenda ar ras, yn cario migwyn i'w osod ar y clwyf.

Roedd y rhwymyn wedi atal y gwaedu yn y diwedd, diolch byth, ond roedd Freyja'n wan iawn. Cofiodd Cai am y clwyf ar fraich Gunnar pan ymosododd y ci arno yn fuan ar ôl iddyn nhw gyrraedd y ffin rhwng Cymru a Lloegr, y clwyf a oedd wedi'i ladd er gwaethaf ymdrechion Cai. Ai dyma fyddai tynged Freyja druan? A oedd ei ymdrechion ef ac Olaf a Wotsi yn ddiwerth?

Rhoddodd rhai o'r Ni hi i orwedd ar drol i'w chludo adref. Ar lawr y gegin yn nhŷ'r Ynyswyr, gwnaed gwely cyffyrddus iddi o garpiau o ddilladach, a gwnïodd Gwenda'r briw. Tendiodd y clwyf â dŵr glân ac eli o'r Ynys. Daeth Ni â'u meddyginiaethau nhw i'w gosod ar y clwyf, a the cryf o gymysgedd o blanhigion.

Eisteddodd Olaf a Cai wrth ymyl ei gwely, a helpu Gwenda

i osod eli ar y clwyf ar goes Freyja, ac ni chysgodd yr un o'r tri drwy'r nos. Gwelai Cai golli Gwawr yn fwy llym nag y gwnaethai ers iddi ddiflannu, ac roedd yn bur sicr fod Olaf yn teimlo'i cholli'n llymach hefyd. Pedwar, ac un yn ymladd am ei bywyd. Sawl un arall o'r Ynyswyr fyddai'n cael eu colli cyn iddyn nhw ddychwelyd? A fyddai unrhyw un ohonyn nhw ar ôl?

Daeth Wotsi draw ar ôl awr neu ddwy, wedi newid o'r dillad a oedd amdano yn y cwch, a gwaed Freyja drostyn nhw.

'Shwt shi?' holodd yn betrus.

'Dal ei thir,' meddai Olaf. 'Un gref yw'r hen Freyja.'

'Sant,' cofiodd Wotsi y gair, heb dynnu ei lygaid oddi ar Freyja.

*

Erbyn y bore, roedd Freyja wedi dod drwy'r gwaethaf. Roedd hi'n effro, ac yn llwyddo i wenu drwy'r boen. Rhoddodd y Ni eli diffrwytho ar ei choes i ladd rhywfaint arno, a daeth Wotsi draw eto i weld sut oedd hi. Diolchodd hithau iddo am ei ran yn ei thynnu o'r dŵr, a gwridodd Wotsi o gael ei ganmol am unwaith. Bu'n amser hir ers i neb ei ganmol, neb heblaw Bwmbwm.

Gwridodd wedyn pan ofynnodd Freyja iddo ei dysgu i nofio'n well.

'Ers pryd ma siarcod ym Mae Ceredigion?' gofynnodd Gwenda.

Roedd Olaf a Cai wedi cytuno i adael i Freyja gysgu ar ei

phen ei hun o'r diwedd, ac wedi ymneilltuo i'r stafell drws nesaf i drafod y daith gyda Gwenda. Ond er gwaetha'r hyn roedden nhw wedi'i weld, yr unig beth oedd ar feddwl y tri oedd y siarc. Ofnai Cai mai dyna fyddai'n ei weld pe bai'n mentro cau ei lygaid i gael noson iawn o gwsg.

'Dwn i'm,' atebodd Olaf, gan fyseddu'r llyfr natur oedd ganddo yn ei law o'r llyfrgell, llyfr a gynhwysai luniau mawr clir o fywydeg y môr. 'Ond maen nhw yna nawr.'

'Fe weles i hynny o'r ôl dannedd yng nghoes Freyja,' meddai Gwenda.

'Dyma fe,' meddai Olaf, a throi'r llun i Gwenda ei weld. 'Siarcod mawr gwyn. Y gwaethaf a'r mwyaf o'r cyfan. Maen nhw'n byw mewn moroedd cynnes yn ôl hwn, llefydd fel Môr y Canoldir. A Bae Ceredigion bellach,' ychwanegodd.

'Bydd rhaid adeiladu cychod cryfach,' meddai Olaf. 'Rhai tebycach i'r cwch ddaeth â ni yma.'

Gadawyd y geiriau i hofran yn yr aer am eiliad. Ond roedd Gwenda wedi clywed rhywbeth yn y geiriau, er na chafodd ei yngan.

'Fe fydd rhaid i ni feddwl am fynd adre,' meddai Gwenda. 'Blwyddyn ddwedon ni'n wreiddiol, blwyddyn a hanner ar y mwya. Ma'r lle 'ma'n gweithio, ma pawb yn gwybod sut i'w gynnal e. Ma raid i ni'n pedwar ystyried y dyfodol.'

'Heb Gwawr, ti'n feddwl,' meddai Olaf. 'Mynd adre i'r Ynys heb Gwawr.'

Trodd Gwenda ei hwyneb oddi wrtho yn lle ei ateb.

'Dwi'n aros nes ca i sicrwydd,' meddai Olaf. 'Nes ca i wbod... y naill ffordd neu'r llall.'

'A beth os na chei di wbod byth?' holodd Gwenda.

'Yma y bydda i,' meddai Olaf.

'A finne,' meddai Cai yn floesg. 'Nes ca i sicrwydd.'

Am Gwawr, ac am Anil.

17

'**G**WAWR!' EBYCHODD ANIL wrth ei gweld.

Gwenodd Gwawr arno. 'Pwy fydde'n meddwl? Yr holl filltiroedd o gartre. Ma Cai yn gweld dy golli di.'

Dim ond syllu arni wnaeth Anil, a llyncu poer, y geiriau'n gwrthod dod o'i geg.

'Bydd rhaid i Gwawr ddiflannu,' meddai Mira, gan geisio eu tynnu'n ôl i'r presennol.

Y lle hwn. Doedd dim llawer o amser ganddi cyn i rywun yn rhywle sylwi nad oedd Gwawr wedi cyrraedd y fferm er iddi adael y plas ar yr hofrfwrdd yn ei gofal hi.

Buan y trodd rhyfeddod Anil wrth weld Gwawr yn sefyll yno o'i flaen wrth gaban y caethion yn ddychryn.

'Mae'n beryglus,' meddai. 'Cuddiwch,' sibrydodd, a'i wyneb wedi gwelwi ar amrantiad.

Doedd Gwawr ddim yn deall. Doedd Mira ddim wedi dweud wrtho beth oedd wedi digwydd yn y plas ac eto, roedd e'n ymddwyn fel pe bai e'n gwybod eu bod nhw mewn perygl.

'Peidiwch â mynd i'r plas, rhy beryglus. Rhoswch!'

Yr eiliad nesaf, roedd e wedi troi i mewn i'r caban. Edrychodd Gwawr ar Mira, ond doedd ganddi hithau ddim syniad beth roedd Anil yn ei wneud, na beth oedd wedi achosi iddo gilio'n ôl i mewn. Ond cyn i'r un o'r ddwy gael cyfle i feddwl beth oedd yn digwydd, roedd Anil wedi dod yn ei ôl, a chysgod rhywun arall y tu ôl iddo.

'Antoine,' meddai Anil wrthyn nhw. 'Gwrandwch.'

Camodd Antoine allan atyn nhw a chaeodd Anil y drws y tu ôl iddyn nhw. Dechreuodd Antoine ddweud wrthyn nhw fod cynllun ar y gweill i ymosod ar y plas, i geisio goresgyn milwyr y Llyw.

'Heno,' meddai wedyn. 'Dyna maen nhw'n ei ddweud.'

'Faint o wrthwynebwyr sy 'na?' holodd Gwawr.

Doedd hi ddim yn gallu dirnad fod neb yn Afallon yn gwrthwynebu'r drefn. Roedd pawb i'w weld yn gwbl hapus, yn berffaith fodlon eu byd. Ni allai ddirnad y byddai neb y daethai ar eu traws ers iddi gyrraedd yn gwybod dim oll am fodolaeth y caethion, na'r ffordd y caent eu trin. Ac yn sicr, fyddai'r un ohonyn nhw'n gwybod am fodolaeth y fferm, na'i diben anfoesol. Ond beth a wyddai hi? Onid oedd hi ei hun wedi'i thwyllo o'r eiliad y glaniodd hi yn y lle? Fyddai hi byth wedi breuddwydio y byddai'r fath nefoedd wedi'i hadeiladu ar y fath orthrwm.

'Rhai dwsinau,' atebodd Antoine, 'yn cynnwys rhai ohonon ni fan hyn, yr eiliad y cawn ni'n galw. Rhaid i chi ddianc, y ddwy ohonoch chi. Diflannu.'

'Na,' meddai Mira'n bendant.

'Mam,' dechreuodd Anil ddadlau. 'Ti'm yn deall…'

'Ydw, dwi'n deall,' meddai Mira. 'A fi yw'r un sy agosa ato fe. Fe alla i helpu.'

Edrychodd Antoine ar Anil: a oedd modd ymddiried

ynddi? Roedd hi'n amlwg i Gwawr fod y dieithryn yn anniddig fod Anil wedi dweud cymaint wrthyn nhw. A beth oedd gêm Mira?

'Ewch!' gorchmynnodd Antoine. 'Ewch o 'ma, yn bell o 'ma! Ac yn bell o'r plas os y'ch chi'ch gwbod beth sy er eich lles chi.'

Roedd Antoine wedi mynd yn ôl i mewn i'r caban wedyn, a Mira wedi rhoi cusan sydyn ar foch Anil, cyn diflannu, a Gwawr i'w chanlyn, yn ôl i gyfeiriad gât y carchar, lle roedd y gard yn aros.

Tynnodd Mira freichled aur oddi ar ei braich, a'i hestyn iddo.

*

Ymhen rhai munudau, roedden nhw'n cerdded yn y cysgod y tu ôl i stryd o dai, yn ceisio osgoi taro i mewn i'r biniau metel a osodwyd yno i'r ailgylchwyr eu casglu. Er i Gwawr geisio gofyn iddi ddwy waith beth oedd y peth callaf iddyn nhw ei wneud, doedd Mira ddim wedi rhannu ei meddyliau, dim ond cerdded yn ei blaen a'i bys ar ei cheg: paid dweud dim.

Yna, cyn cyrraedd pen y rhes, roedd hi wedi eistedd yng nghysgod wal uchel, ymhell o gyrraedd golau'r lleuad a golau'r stryd. Estynnodd garreg fechan, fain o'r gwair a'r sbwrielach ar lawr, cyn estyn i afael ym mraich Gwawr.

Ar gefn llaw Gwawr, tynnodd lun map syml â'r garreg lychlyd, a sibrwd eglurhad: 'Gogledd ffor'na, anela i'r de-ddwyrain' – pwyntiai at y llinellau a dynnodd ar law Gwawr. 'Ddwy res wedi'r groesffordd, fe weli di dŷ â rhosynnau dros y gât. Cura ar y drws. Dwed mai fi sy wedi dy anfon di. Shona sy'n byw 'na. Fe fuodd hi'n garedig iawn i fi, cyn i'r Chwilod fy hebrwng i i'r fferm. Fe edrychith Shona ar dy ôl di.'

Edrychodd Gwawr ar y llinellau ar ei llaw. Gallai weld y sgwâr yn y canol, y sgwâr gwyrdd lle roedd hi wedi treulio oriau'n sgwrsio a chicio'i sodlau gyda Sira a Rasi. A llinellau eraill, strydoedd, yn ymestyn i gyfeiriadau gwahanol.

'Paid ag ymddiried yn neb arall!' Syllai llygaid Mira i'w rhai hi.

'Ble wyt ti'n mynd?'

Cnodd Mira ei gwefus, yn amlwg yn ceisio penderfynu faint o les fyddai dweud wrth Gwawr.

'I'r plas,' meddai, a chyn i Gwawr allu agor ei cheg i brotestio, ychwanegodd fod ganddi rywbeth roedd yn rhaid iddi ei wneud.

'Bydd yn ofalus,' erfyniodd Gwawr. 'Y peth dwetha rwyt ti eisiau yw cael dy ddal ynghanol gwrthryfel.'

*

Rhosynnau dros y gât: roedd Mira'n llygad ei lle ynghylch hynny. Gorchuddiwyd y bwa dros gât fawr bren â channoedd o rosynnau lliw hufen. Er mai tŷ teras oedd e, roedd y darn bach o dir o'i flaen yn bictiwr o brydferthwch, ac yn llawn o flodau.

Edrychodd Gwawr o'i chwmpas. Doedd dim smic i'w

glywed yn unman. Rhaid ei bod hi'n tynnu at un o'r gloch y bore bellach, a phawb yn cysgu'n drwm. Gwyddai o'r hyn a ddywedodd Mira wrthi cyn iddyn nhw gyrraedd gwersyll y caethion fod camerâu ym mhobman yn Afallon, hyd yn oed ar y strydoedd pellaf hyn ar y cyrion. Ond dibynnai cymaint o gamerâu ar nifer fawr o barau o lygaid i'w gwylio. A byddai'n rhaid i'r parau o lygaid a oedd yn gwylio wybod am beth roedden nhw'n gwylio. Os nad oedd y Llyw wedi clywed ei bod hi heb gyrraedd y fferm, efallai na fyddai neb yn chwilio amdani eto.

Gallai fod yn lwcus.

Curodd yn ddistaw ar y drws. Trodd i edrych o'i chwmpas. Gwelodd fod gerddi eraill ar y stryd yr un mor lliwgar â hon. Roedd wyneb Afallon yn hardd, doedd dim dwywaith am hynny.

Ymhen hir a hwyr, agorodd y drws a daeth dynes fechan go oedrannus i'r golwg. Edrychodd mewn penbleth ar Gwawr.

'Mira sy wedi fy anfon i,' eglurodd Gwawr.

Agorodd y ddynes y drws yn llydan iddi ac aeth Gwawr i mewn.

*

Roedd Anil wedi disgwyl pryd o dafod gan Antoine am ddatgelu gormod wrth ei fam. Gwyddai Antoine gystal â neb mai hi oedd yn rhannu gwely'r Llyw a'u bod yn mentro'r cyfan yn datgelu cymaint o gyfrinachau iddi. Ond gwyddai Anil fod Antoine hefyd yn gwybod mai caethwas o fath oedd Mira, lawn cymaint â hwythau.

A beth bynnag, roedd yr olwynion wedi dechrau troi. Pan ddaeth Anil at ei wely i ofyn iddo ddod allan at ei fam a'r ferch arall honno a ddaethai o ben draw'r byd, roedd Antoine yn effro eisoes, yn troi a throi'r cynllun yn ei ben, neu ei ran ef yn y cynllun mawr. Ef oedd i gynnull y caethion pan ddôi'r alwad, i gael cymaint ag y bo modd ohonyn nhw dros y ffens, a gadael y gweddill – y caethion nad oedd ganddyn nhw syniad fod cynllun ar waith – i oresgyn y Chwilod a weithiai yn y gwersyll a dianc i ymuno â'r gwrthryfel.

Awr yn unig ar ôl i'r merched adael, clywodd Antoine sŵn y chwiban y tu allan i'r gwersyll o gyfeiriad y coed. Dyna oedd yr alwad. Cododd yn sydyn a mynd at wely dau neu dri o'r caethion a oedd eisoes yn gyfarwydd â'r cynllun, ac yna at wely Anil. Cyn pen dim, roedd deg o'r caethion yn anelu allan i'w rhyddid.

Erbyn hynny, roedd dau neu dri o'r caethion eraill wedi dihuno, yn methu deall beth oedd achos yr holl symud.

'Ewch i oresgyn y gwylwyr,' meddai Antoine wrthyn nhw, heb geisio gostwng ei lais bellach. Pe dôi Chwilen at y drws, byddai'n wynebu llond caban o wrthryfelwyr. Eisoes roedd un neu ddau ohonyn nhw'n malu gwelyau pren a metel er mwyn creu arfau.

Clywodd Anil sŵn cythrwfl wrth un o'r cabanau pellaf.

'Maen nhw wedi llwyddo i ddad-drydaneiddio'r ffens!' gwaeddodd Antoine o'r drws. 'Dewch!'

*

Neidiodd Anil i'r ddaear o ben y ffens. Brysiodd ar ôl y cysgodion a redai o gyfeiriad y gwersyll. Gobeithiai â'i holl enaid fod ei fam a Gwawr wedi cael digon o gyfle i ddianc. Beth bynnag roedd ei fam wedi'i feddwl wrth sôn am helpu, gobeithiai ei bod hi'n bell o'r plas bellach.

Cyn dod allan yr ochr arall i'r coed, gwelodd Anil oleuadau fflachlampau'n neidio o flaen ei lygaid fel pryfed tân: roedd degau ohonyn nhw, bechgyn ifanc, menywod ifanc, a phobl hŷn, pobl o bob oed. Y gwrthwynebwyr. A oedd digon ohonyn nhw? Doedd dim posib dweud. Ond cariai rhai ohonyn nhw swrthddrylliau a phrennau, arfau cyntefig a allai wneud rhywfaint o niwed o lanio ar y gelyn yn ddiarwybod iddo.

Ond gelyn a gariai ddrylliau go iawn oedd y Chwilod, ac ni chymerai lawer o amser iddyn nhw ymffurfio'n fyddin gref yn eu herbyn. Mater o'u taro cyn iddyn nhw wybod beth oedd yn eu taro nhw oedd hi.

Ymunodd y caethion â'r gweddill drwy gyfarchiadau brysiog a nodio pen. Un gwrthwynebydd oedden nhw bellach, un gwrthryfel.

'Dowch!' gwaeddodd rhywun ar y blaen a gariai swrthddryll. 'Ymlaen!'

Llifodd y dyrfa i gyfeiriad y plas.

*

Yn ei ystafell roedd y Llyw pan ddychwelodd Mira, yn lledorwedd ar y soffa fawr yn darllen hen lyfr lluniau o'r cyfnod cyn y Diwedd Mawr. Aeth Mira ato gan wenu, a gosod ei dwylo ar ei war. Gwnaeth hynny iddo osod ei lyfr i lawr, ac estyn ei ddwylo i afael yn ei rhai hi.

'Ble buest ti?' gofynnodd. 'Fe fues i draw yn dy stafell di.'

'Draw yn y gwersyll,' cyfaddefodd Mira. Gwnaeth i'w llais swnio'n euog. Gwyddai'n iawn ei fod e'n amau ei bod hi'n mynd â bwyd at Anil a doedd e ddim wedi'i hatal: beth bynnag a'i cadwai'n fodlon ei byd. 'Oes ots gen ti?'

'Dim o gwbwl,' meddai'r Llyw, a'i thynnu i lawr dros gefn y soffa at ei goflaid. 'Aeth hi i'r fferm?'

'Do,' meddai Mira. 'Mae hi'n ddiogel yn ei nyth.'

Tynnodd y Llyw hi'n dynnach ato.

*

Doedd Gwawr prin wedi yfed hanner y mygaid o de a gafodd gan Shona pan glywodd guro ysgafn ar y drws a wnaeth i'w chalon golli curiad. Ar ganol sôn am y dyddiau cynnar pan gyrhaeddodd Mira oedd Shona, a fferrodd wrth glywed y gnoc. Cododd Shona'n araf.

'Arhoswch yma,' meddai wrth Gwawr.

Gwrandawodd Gwawr yn astud ond ni allai glywed mwy na mwmian isel yn y drws. O fewn munud, roedd Shona yn ei hôl: 'I chi,' meddai.

Ceisiodd Gwawr ddarllen ei hwyneb. Hofrannai arlliw o bryder ar wyneb yr hen wraig, ond nid oedd gan Gwawr syniad beth i'w wneud ohono heblaw ufuddhau. Cododd, a mynd at y drws.

Sira oedd yno.

'Gwawr!' Gwenai'n llydan. 'Fan hyn wyt ti!'

Rhythodd Gwawr arni. Doedd dim rheswm yn y byd ganddi i fod yma. Ni allai Sira wybod lle roedd hi oni bai ei bod hi wedi bod yn chwilio amdani, ac os oedd hi wedi bod yn chwilio amdani, ac wedi bod yn gwylio'r sgriniau i weld lle roedd hi, beth oedd hynny'n ei ddweud am Sira? Rhewodd calon Gwawr. Hon oedd y ferch roedd hi wedi treulio dyddiau yn ei chwmni, yn rhannu cyfrinachau ac yn chwerthin gyda'i gilydd, hon a Rasi…

A dyna pryd y sylweddolodd Gwawr fod Rasi yno hefyd, allan wrth y gât yn y tywyllwch. Gwelodd Gwawr nad oedd gwên ar wyneb Rasi.

'Pwy arall sy'n llechu yn y cysgod?' Methodd Gwawr guddio'r dur yn ei llais.

'Beth? O dere nawr, Gwawr. Wedi dod i dy hebrwng di'n ôl ydyn ni.'

''Nôl i le?'

'Dere nawr. Rasi?' Trodd Sira at ei chyfeilles, a chamodd honno atyn nhw. Dan ei braich, roedd hi'n cario hofrfwrdd mawr hir, fel yr un roedd Mira wedi ei osod oddi tani rai oriau ynghynt.

Edrychodd Gwawr am y chwistrell. Gan Rasi oedd hi. Tynnodd hi allan, heb geisio cuddio ei bwriad mewn geiriau ffals fel roedd Sira i'w gweld yn ei wneud. Ni wyddai Gwawr pa un o'r ddwy oedd waethaf – yr un a guddiai ei dichell mewn geiriau ffug, neu'r un nad oedd am geisio gwneud hynny.

Trodd Gwawr at Shona i weld a allai hi gynnig rhyw

ddihangfa iddi. Roedd y gwewyr ar wyneb yr hen wraig fel petai'n ddigon diffuant. Ond beth a wyddai Gwawr? Doedd dim dal beth oedd yn digwydd y tu ôl i wyneb neb. Un celwydd byw oedd y cyfan.

Cyn iddi allu troi'n ôl, teimlodd bigiad poenus yn ei braich. Cyn i Sira ei dal rhag iddi ddisgyn yn ddiymadferth ar lawr, gwelodd Gwawr ddau, tri, pedwar Chwilen yn cerdded drwy'r gât y tyfai rhosynnau drosti'n glystyrau tlws.

A chyhyrau ei breichiau a'i choesau'n swrth, agorodd Gwawr ei cheg i sgrechian.

*

Deg Chwilen ar eu cefnau, yn ddiymadferth, a dwsinau o'r gwrthryfelwyr yn rhuthro yn eu blaenau fel môr tuag at y plas. Bellach, roedden nhw wedi dechrau magu hyder ar ôl trechu'r criw o Chwilod ar gwr y goedwig â'u swrthddrylliau. Cafodd Anil y gwaith o glymu dwylo dau ohonyn nhw y tu ôl i'w cefnau fel na allen nhw wneud fawr o ddim ar ôl dadebru ymhen teirawr neu fwy. Cariai rhai o'r gwrthryfelwyr yr arfau a ildiwyd gan y Chwilod diymadferth, ond y cyfarwyddyd oedd peidio â'u defnyddio oni bai bod bywydau'r gwrthryfelwyr mewn perygl. Roedd pob gobaith ar ddechrau'r gwrthryfel fel hyn y gallen nhw drechu milwyr y Llyw heb arllwys gwaed.

Roedden nhw o fewn hanner milltir i'r plas. Gallai Anil ei weld yn y pellter, yn edrych i lawr ar Afallon a charreg olau ogoneddus ei furiau'n codi'n ysblennydd yng ngolau gwan y lleuad y tu ôl i niwlen a daenai olau llaethog dros y dref. Ble roedd ei fam erbyn hyn? Aethai rhai oriau heibio ers iddi ei adael gyda Gwawr. Er gwaethaf yr hyn a ddywedodd, gobeithiai yn ei galon mai dianc gyda Gwawr roedd hi wedi ei wneud yn y diwedd. Gwyddai y câi ei bywyd ei arbed pe bai pethau'n mynd fel y dylen nhw, ond pa wrthryfel erioed a ddilynodd y drefn a ragwelwyd ar ei gyfer?

Byddai'n rhaid iddo ymddiried yn y lleill, ei gyd-ymladdwyr, nad oedd e wedi eu gweld cyn heno. Dieithriaid, mewn gwlad ddieithr, ar gyfandir dieithr, ymhell bell o Gymru, ymhell bell o Aberystwyth, lle roedd y Ni a'r Ynyswyr yn byw mewn ffordd wahanol iawn i'r rhain, yn gwneud mwy gyda llawer iawn llai, ac yn llawer llai bygythiol. Daeth hiraeth ofnadwy ar Anil am adre, ac am Cai.

'Ymlaen!' sibrydodd rhywun ar flaen y dyrfa a symudai'n gyflym bellach i gyfeiriad y plas, gan ddal i geisio cadw at y cysgodion yn ôl y cynllun. Gorau oll os gallen nhw gyrraedd y plas cyn i neb allu rhybuddio'r Chwilod yno. Brysiodd Anil yn rhan o'r llif.

18

GORWEDDAI GWAWR AR wastad ei chefn, a gallai deimlo'r rhaffau'n bwyta i mewn i'w chnawd. Ceisiodd symud ei breichiau a'i choesau wrth deimlo'i chyhyrau'n gweithio eto, ond roedd y rhwymau'n rhy dynn. Ceisiodd wthio sgrech o'i gwddf ond roedd y bandyn am ei cheg yn drech na'i phrotestiadau. Gallai weld golau mawr llachar uwch ei phen, ac roedd hi'n ymwybodol o gysgodion yn mynd a dod ar gyrion ei golwg, ond ni allai symud fawr ddim ar ei phen. Gallai deimlo ochrau'r brês a osodwyd amdano'n ei chaethiwo.

Daeth wyneb rhyngddi a'r golau. Dyn. Tua deugain oed, yn ôl y ffordd roedd ei wallt wedi dechrau britho ar yr ochrau, yn debyg i wallt ei thad. Ond roedd mwy o floneg ar wyneb hwn, a llygaid tywyll oedd ganddo, nid rhai glas fel rhai ei thad. Astudiodd y llygaid hi am eiliadau cyn iddo siarad.

'Ifanc, un ar bymtheg, asesiad cryno cychwynnol o gyflwr iechyd, iach, naw plws; croen, naw pwynt pedwar, llygaid, naw pwynt pump.'

'Gwawr,' meddai, gan siarad â hi o'r diwedd yn hytrach na dim ond ei hastudio. 'Fe fydd rhaid i ni gadw'r rhwymyn am dy geg di. Fyddwn ni ddim yn gallu dy asesu di os wyt ti'n mynd i gadw sŵn.'

Estynnodd rhywun ddarn o bapur iddo a dechreuodd dicio blychau ar ôl archwilio rhannau gwahanol o'i chorff. Daliodd ati i siarad wrth wneud, a'i lygaid yn archwilio.

'Hyn fydd yn digwydd. Fe fyddwn ni'n rhoi triniaeth fach i ti maes o law i osod tiwbyn yn dy fol di ar gyfer casglu'r wyau o'r ofarïau bob mis. Bydd hwnnw'n aros yn ei le i wneud y gwaith o gasglu'n haws. Bydd hynny, fel popeth arall fydd yn digwydd i ti nawr, yn cael ei wneud heb orfod dy symud di o dy gawell wrth gwrs.'

Gwenodd arni. Ysai Gwawr am iddo ddiflannu. Ceisiodd wrando y tu hwnt i'w hen lais cras am synau eraill yn y pellter, synau a fyddai'n arwydd bod y gwrthryfel wedi cychwyn. Ond ni chlywai ddim.

Pe bai'r gwrthryfel yn methu, yma bydda i am weddill fy oes fer, meddyliodd Gwawr. Mewn cawell, fel anifail.

'Ond yn gynta, dwi am allu ymddiried ynddot ti. Dwi am dynnu'r rhwymyn oddi ar dy geg di, ac os gadawi di i fi wneud hynny'n ddiffwdan, fe gei di gadw dy Lingua. Fel arall, bydd yn rhaid i ni ei dynnu, a'r eiliad y gwnawn ni hynny, fyddi di byth eto'n deall gair a ddwedwn ni, a ninnau'n deall dim o'r hyn fydd gen ti i'w ddweud. Wyt ti'n deall?'

Deallai Gwawr yn iawn: darllenodd ddigon ar yr Ynys i wybod am hen arferion ffermio, lle roedd ieir yn cael cawell na roddai le iddyn nhw wneud dim byd ond bwyta a dodwy. Dyna fyddai hi, iâr yn gori, a neb yn deall gair o'r hyn fyddai hi'n ceisio ei ddweud.

'Fe fydd hi dipyn haws i ti allu cyfathrebu â'r ddwy fydd yn y cewyll bob ochr i ti. Os ydw i'n tynnu'r rhwymyn, wnei di addo bod yn ferch dda?'

Nodiodd Gwawr orau y gallai yn y brês am ei gwddw. Gwenodd y dyn yn llydan. Gafaelodd yn y rhwymyn a'i dorri â siswrn bach a oedd ganddo yn ei law. Edrychodd arni, heb adael i'w wên lithro, fel pe bai'n disgwyl iddi ddiolch iddo.

'Pwy arall sy 'ma? Pwy yw'r lleill?' gofynnodd Gwawr yn lle hynny.

'Mae 'na stoc o hanner dwsin ohonoch chi'n cynhyrchu wyau ar hyn o bryd,' meddai'r dyn, yn swnio'n falch ohono'i hun. 'Yn y cyflwr gorau, er mai fi sy'n dweud.' Pwysodd drosti i astudio'i gwallt ac esgyrn ei gwar a'i hysgwyddau unwaith eto. 'Merch o Asia yw un, un o bellafion Rwsia, un o Tsieina, y gweddill o Dde America, o amrywiol fannau lle rydyn ni wedi canfod pobl.'

'Beth oedd o'i le ar ofyn?' meddai Gwawr. 'Gofyn am ein help ni yn lle'n cipio ni, a'n cadw ni dan glo?'

'Fel hyn fe gawn ni ddigon o wyau i sicrhau dyfodol go iawn i'r lle 'ma. Mae'r corff benywaidd yn creu wy bob mis. Rhyngoch chi, rydyn ni'n gallu ffermio dogn go dda bob blwyddyn. Mae ein cyfradd llwyddiant ni'n agos at naw deg y cant, a stoc dda wrth gefn yn y rhewgelloedd at bob galw gan gyplau'r drefedigaeth. Testun cryn falchder i ni yw gallu dweud bod dyfodol Afallon yn iach.'

Distawodd Gwawr. Gwrandawodd. Eisiau clywed sŵn oedd hi, sŵn y gwrthryfelwyr yn nesu yn y pellter. Ond doedd dim ond grŵn diflas y dyn hwn o'i blaen yn llenwi ei chlustiau.

Os oedd wedi cychwyn o gwbl, rhaid bod y gwrthryfel wedi methu. Byddai'r Chwilod wedi'u trechu nhw i gyd, ac Anil yn eu plith. Fyddai dim gobaith ganddyn nhw yn erbyn lluoedd y Llyw. A beth oedd tynged Mira bellach?

'Hawdd dweud y gallen ni wneud y cyfan ar sail wirfoddol, ond buan iawn y mae trefniadau felly'n chwalu. Ac wedi'r cyfan, pwy sydd â dewis mewn dim y dyddiau hyn? Chafodd menywod Afallon ddim dewis a oedden nhw am fod yn anffrwythlon ai peidio.'

Ac yna, fe'i clywodd. Y sŵn lleiaf erioed, ond roedd e yno, yn y pellter yn rhywle. Llais yn gweiddi, dyna i gyd. Wnaeth y dyn ddim dangos arwydd ei fod e wedi'i glywed, a hyd yn oed pe bai wedi'i glywed, doedd hi'n ddim mwy na gwaedd.

Ond chlywodd Gwawr ddim rhagor. Galwodd y dyn ar un o'r cysgodion ar gyrion ei golwg i ddod i'w chyrchu ar ei hofrfwrdd i'w chawell. Daeth y cysgod yn gliriach, yn gwenu'n llydan fel yr haul.

'Gwawr!'

Sira. Cafodd Gwawr ei themtio i boeri yn ei hwyneb, ond gwyddai na fyddai'r brês am ei phen yn gadael iddi symud digon i wneud dim ond gwlychu ei hwyneb ei hun. Penderfynodd beidio â siarad â hi yn lle hynny. Hofrannodd y bwrdd allan o'r ystafell lle roedd y golau disglair a'r dyn, i'r ystafell nesaf, lle nad oedd y golau mor llachar. Gallai glywed adar yn canu, a lleisiau'n sgwrsio. Daeth aroglau bwyd i'w ffroenau, cawl llysiau, neu gaserol…

'Wnes i ddim sôn wrthot ti mai yma dwi'n gweithio? Fe fydda i'n edrych ar dy ôl di, yn gwneud yn siŵr dy fod ti'n cael digonedd o bethau da i'w bwyta! Fe gawn ni weld digon ar ein gilydd!'

Roedd Sira'n tynnu'r brês oddi ar ei gwar a'i phen, ac yn gwyro'r hofrfwrdd fel y gallai Gwawr weld rhywfaint mwy o'r ystafell. O'i blaen, gwelodd gawell fawr wag bron mor dal â hithau heb ddim ynddi, na lle i ddim ond gwely, bwrdd bach a chadair gaead.

Bob ochr iddi, roedd dwy gawell arall a dwy ferch ifanc ynddynt. Gwyliai'r ddwy hi â llygaid mawr trist yn llawn o ofid.

'Os byddi di'n ferch dda, fe gawn ni dynnu'r rhwymau eraill yn y man,' meddai Sira wrthi, fel pe bai hi'n dal i siarad am ddawnsio yn un o ddawnsfeydd y Llyw.

Defnyddiodd allwedd cerdyn i agor drws y gawell a throdd i estyn dillad gwely oddi ar silff yn yr ystafell fawr.

Merch Asiaidd ei golwg oedd yn y gawell ar yr ochr chwith ac un oleuach yn y llall.

'Dyma Ala a Wai,' cyhoeddodd Sira yn frwd, gan sgubo'i llaw i'w cyflwyno. 'Dwedwch helô wrth eich cymydog newydd!' galwodd ar y ddwy yn hwyliog.

'Helô,' meddai'r ddwy wrth Gwawr heb fawr o arddeliad. Gwenodd Wai arni'n drist. Mae'r ddwy ohonon ni eisoes wedi bod yn fan'na, meddai'r wên.

Doedd y llais a glywodd yn gweiddi yn ddim byd wedi'r cyfan, meddyliodd Gwawr. Rhaid nad oedd dim wedi dod o'r gwrthryfel. Teimlodd arswyd annhebyg i ddim a deimlodd yn ei byw o'r blaen wrth sylweddoli mai yma ar y fferm fyddai'r unig ddyfodol a ddôi i'w rhan byth, mewn cawell maint cwpwrdd, yn ddim byd ond peiriant wyau i fenywod Afallon.

*

Doedd e ddim yn gysgwr trwm heblaw pan oedd e wedi bod yn caru. Gorweddai ar wastad ei gefn a'i freichiau ar led ar y gwely. Safai Mira uwch ei ben yn ei wylio: doedd unbeniaid hyd yn oed ddim gronyn yn fwy pwerus na'r pryfyn lleiaf un pan oedden nhw'n cysgu'n drwm.

Clywai Mira'r ffôn ym mhoced siaced y Llyw yn mwmian canu'n dawel, a gwyddai fod yn rhaid iddi frysio: roedd pethau'n dechrau digwydd. Doedd neb wedi rhoi gwybod i'r Llyw hyd yn hyn nad oedd Gwawr wedi cyrraedd y fferm, a thrwy ryw ryfedd wyrth, doedd e ddim wedi bod yn gwylio'r sgriniau. Go brin y byddai e wedi bod mor barod i neidio i'r gwely pe bai e'n gwybod bod ei iâr fwyaf newydd wedi dianc.

Trodd Mira am yr ystafell ymolchi – ei ystafell ymolchi ef. Cyrcydodd wrth y baddon mawr marmor a gwthio ei bys i gornel y pren ar lawr yn y gilfach rhwng y basn a phen draw'r baddon. Cododd deilsen fach a guddiai dwll nad oedd fawr mwy o le ynddo i ddim mwy o faint na'r cynhwysydd bach a orweddai yno. Bachodd ei bys amdano.

'Mira, Mira…'

Trodd ato yn ei harswyd, yn dal yn ei chwrcwd: chlywodd hi mohono'n dod i mewn i'r ystafell ymolchi.

'Beth oedd eisiau gadael iddi ddianc?'

Rhewodd Mira.

'Mmm? Beth oedd yn dy feddwl di?'

Cododd Mira ar ei thraed. Ni allai wneud pen na chynffon o'r ffaith fod y ffôn yn dal i ganu ym mhoced ei siaced. Sut oedd e'n gwybod cyn ateb ei ffôn?

'O, ro'n i'n gwbod cyn i ti ddod 'nôl,' meddai'r Llyw wrth ddarllen y dryswch ar wyneb Mira. 'Ond mae'n haws caru pan nad oes arnat ti ofn am dy fywyd.'

Sylweddolodd Mira ei fod e wedi'i chymryd hi gan wybod ei fod e'n mynd i ddial arni'n syth wedyn am adael i Gwawr ddianc.

'A nawr...' Fflachiai ei lygaid arni. 'Nawr bydd rhaid i ti dalu'n ddrud am dy bechod!'

Trodd i estyn y ffrwyn oddi ar y bachyn ger y gwely.

A'r un eiliad, cododd Mira ei braich yn uchel a hyrddio'r chwistrell i'w wddf â'i holl nerth. Gwaeddodd y Llyw mewn poen, ond ni fu'n hir cyn disgyn. Safodd Mira drosto, yn anadlu'n ddwfn. Daeth ysfa drosti i boeri, ond wnaeth hi ddim.

Roedd hi wedi cael ei dial.

Yr eiliad nesaf, chwipiodd y drws ar agor a llifodd chwech, saith dyn i'r ystafell, ac arfau yn eu dwylo.

'Coda dy ddwylo!' gorchmynnodd rhywun, ac ufuddhaodd Mira ar unwaith.

Daeth rhagor o ddynion i'r ystafell, ac yn araf deg, gwawriodd ar y rhai cyntaf ohonyn nhw fod y Llyw eisoes ar lawr, heb fod yn fygythiad i neb.

'Hei, beth sy'n ei llaw hi?'

Gafaelodd un o'r dynion yn ei braich, a gwneud iddi agor ei llaw.

'Chwistrell,' meddai'r dyn, gan edrych ar y Llyw yn gorwedd ar lawr. Daeth sŵn o'i geg, yn union fel pe bai'n ceisio siarad. Doedd e ddim yn ddiymadferth eto, meddyliodd Mira. Fyddai e ddim yn hir.

'Beth roist ti iddo fe?' gofynnodd y dyn, a gostwng ei swrthddryll.

Rhythai'r lleill ar y Llyw yn cordeddu mewn poen ac yn ymladd am ei anadl ar lawr.

'Ble ma Anil?' holodd Mira wrth ostwng ei breichiau.

Trodd rhai o'r bobl yn y drws at y dyrfa a oedd yn dal i hel y tu allan. Gallai Mira glywed sŵn gweiddi a sgrechian mewn rhannau eraill o'r plas lle roedd y gwrthryfel yn mynd rhagddo.

Yn sydyn, daeth sŵn tagu o wddf y Llyw. Sylweddolodd Mira fod y ffôn wedi stopio canu o'r diwedd. Roedd hi'n rhy hwyr i rybuddio'r Llyw am ddyfodiad y gwrthryfelwyr beth bynnag.

'Cegid y dŵr,' meddai Mira'n dawel heb edrych ar gorff y Llyw.

Dyma'r planhigyn mwyaf gwenwynig ar y cyfandir hwn, perthynas agos i'r rhywogaeth o gegid a dyfai yng Nghymru. Sawl gwaith, yn ôl gyda'r Ni, y breuddwydiodd hi am ei bwyo'n stwnsh dan garreg cyn ei roi ym mwyd Bwmbwm pan oedd hi'n fawr mwy na phlentyn, i ddial am y ffordd y byddai'n pwyo'i gorff brwnt arni, iddi, nes nad oedd hi'n ddim mwy na stwnsh?

Ac eto, Anil oedd y peth gorau a ddigwyddodd iddi erioed. Weithiau, roedd hi'n rhyfeddol cymaint o dda a ddôi o ddrwg.

Weithiau, meddyliodd Mira wedyn wrth edrych ar gorff y Llyw, ddôi dim da o gwbl ohono.

'Mae hi wedi'i ladd e!' meddai un o'r dynion a bwysai dros gorff y Llyw, a lledodd y si ar hyd y rhes o wrthryfelwyr a lenwai'r coridor y tu allan.

Gwnaeth rhywrai le i Anil basio pan ddywedodd Antoine a oedd yn sefyll yn y drws wrthyn nhw am wneud hynny.

'Mam!' criodd wrth ei gweld hi. Roedd yntau wedi clywed y si. Aeth ati a'i dal yn ei freichiau.

Bu bron i goesau Mira roi oddi tani. Gafaelodd Anil amdani'n dynn, dynn.

*

'Fan hyn mae Rasi'n gweithio hefyd?' holodd Gwawr.

'Na, na,' meddai Sira. 'Un o'r Chwilod yw Rasi. Chwilen go uchel, felly dyw hi byth bron yn gorfod gwisgo'r iwnifform, ddim ond yn seremonïau'r Llyw,' eglurodd yn hapus braf. 'Rasi yw bòs y camerâu cylch cyfyng. Hi gafodd hyd i ti yn nhŷ Shona.'

Yn union fel pe baen nhw'n chwarae gêm yn y parc, heb gywilydd nac edifeirwch yn agos ati.

Canodd ffôn ym mhoced Sira.

'A sôn am Rasi,' meddai Sira'n sionc wrth ei ateb. 'Beth…?'

Synnwyd Gwawr gan y newid yn Sira. Gwelodd arswyd yn llifo i wyneb y ferch. Roedd Sira wedi bod mor llawn ohoni ei hun, mor swnllyd lawen yn wyneb ei sefyllfa newydd hi. Ond nawr, ar y ffôn, roedd hi'n ateb mewn ebychiadau unsillafog.

'Beth?' holodd Gwawr yn ei thro.

Gwyddai na châi ateb. Ceisiodd wrando eto am sŵn, ond roedd cerddoriaeth soporiffig i'w chlywed yn dod drwy'r uchelseinydd i bob rhan o'r adeilad.

Gafaelodd Sira yn ei braich yn dynn, heb ddod oddi ar ei ffôn. Gwingodd Gwawr. 'Hei!'

Ond roedd Sira wedi datod y rhwymau a glymai Gwawr at yr hofrfwrdd. Martsiodd Sira hi allan ac i gyfeiriad gwahanol i'r un roedd hi wedi dod ohono. 'Lle ti'n mynd â fi?'

Diffoddodd Sira ei ffôn, a doedd dim gwên yn agos at ei hwyneb bellach. Tynnai Gwawr yn ei blaen, yn berson cwbl wahanol i'r Sira roedd hi wedi dod yn gyfarwydd â hi. Roedd hi'n filain, yn tynnu ei gwallt i wneud iddi frysio.

'Ffordd yma!' tasgodd.

Bu bron i Gwawr faglu dros step, ond nid arafodd Sira. 'Dere!'

A gwthiodd ei phenelin i gefn Gwawr i wneud iddi frysio drwy'r adeilad, nes cyrraedd drws at ben grisiau a arweniai i lawr i seler.

'Lawr â ti!' gorchmynnodd Sira gan edrych o'i chwmpas yn wyllt. Swniai'n hanner ynfyd bellach. 'Lawr â ti!' sgrechiodd yn uwch a gwthio Gwawr i gyfeiriad y drws.

Os galla i wrthsefyll, meddyliodd Gwawr. Hi a fi sy 'na, ac mae arni hi fwy o ofn na fi. Trodd â'i breichiau allan, yn barod i ymladd Sira. Sgrechiodd honno wrth i Gwawr blannu ei bysedd yn ei hwyneb. Câi dalu am yr holl wenau ffals.

Wyddai hi ddim a allai hi wneud dolur go iawn i'r ferch, ond roedd yn rhaid iddi wneud ei rhan i helpu'r gwrthryfel, ac achub ei chroen ei hun ar yr un pryd. Llwyddodd i afael yn ysgwydd Sira a'i gwthio i gyfeiriad y drws, y grisiau i'r seler.

'Paid â gwneud i fi dy wthio di i lawr y grisiau,' meddai wrth Sira drwy ei dannedd. Ond roedd Sira wedi estyn allan i afael yn ei gwallt. Tynnodd ei phen yn galed nes i wayw o boen fynd drwy war Gwawr. Anelodd gic i ben-glin Sira. Hi neu fi yw hi nawr, meddyliodd Gwawr.

Gydag un hyrddiad egnïol, llwyddodd i wthio'i hun yn erbyn Sira a oedd â'i chefn at y grisiau. Gafaelai honno yn y drws i atal ei hun rhag syrthio.

Dim ond ei dannedd oedd gan Gwawr i'w defnyddio: roedd ei breichiau'n dal Sira tuag at y bwlch yn y drws, a'i choesau'n ceisio osgoi cael ei chicio gan y ferch. Anelodd Gwawr ei dannedd at law Sira ar y drws, a chnoi.

Sgrechiodd Sira, a thynnu ei llaw oddi ar y drws. Ar yr un pryd, ceisiodd afael yn y ffrâm, ond gwyddai nad oedd ganddi ddewis ond dianc i lawr i'r seler cyn i Gwawr ei gwthio i lawr y grisiau. Wysg ei chefn, camodd yn ei hôl, a chaeodd Gwawr y drws, eiliad wedi i Sira dynnu ei llaw oddi ar y ffrâm. Anadlodd yn ddwfn wrth sefyll a'i chefn at y drws. Sut oedd ei gloi? Trodd ei phen i weld cwpwrdd mawr pren ar yr ochr arall i'r coridor. Brysiodd ato gan obeithio na fyddai'n rhy drwm.

Ond chafodd hi fawr o drafferth ei dynnu ar draws y

drws i gadw Sira yn y seler. Prin y byddai'n ddigon trwm i'w rhwystro'n hir serch hynny.

Ceisiodd Gwawr gofio ei ffordd yn ôl at y ddwy ferch arall. A ble roedd y lleill yn cael eu cadw? Gwelodd ystafell yn cynnwys cewyll, ond doedd neb ynddynt.

Ac yna, clywodd leisiau o'r tu allan a sŵn saethu. Anelodd tuag at ffenest i weld beth oedd yn digwydd, a bu bron iddi gael ei saethu gan fwled a dorrodd drwy'r gwydr wrth iddi wneud. Aeth at y wal a mentro edrych.

Y tu allan i'r adeilad, roedd wyth neu naw o wrthryfelwyr wrthi'n rhwymo'r dyn a oedd wedi bod yn siarad â hi hanner awr ynghynt. Gorweddai ar lawr yn ddiymadferth, wedi'i saethu gan swrthddryll. Yn ei ymyl, gorweddai dau neu dri o weithwyr eraill, yr un mor ddifywyd yr olwg.

Clywodd Gwawr lais yn galw ei henw, a throdd i weld Anil yn rhedeg nerth ei draed ar hyd y ffordd tuag ati o gyfeiriad plasty'r Llyw.

19

Roedd Bwmbwm ar goll unwaith eto ers ben bore, a neb yn poeni rhyw lawer y tro hwn.

'Fe ddaw e'n ôl pan fydd e'n llwgu,' barnodd Gwenda.

Ond pan saethwyd Lal, un o'r Ni ifanc, yn ei hysgwydd wrth iddi weithio yn y caeau, gwyddai Gwenda, a phawb arall, fod pethau wedi mynd yn rhy bell. Daeth yn amlwg ar unwaith mai Bwmbwm oedd wedi ei saethu, pan sylweddolodd Olaf fod yr arfau wedi diflannu o'r cytiau lle roedd Freyja'n arfer eu cadw nhw – gwaywffyn, picelli, saethau a hoff fwa Freyja.

Parhau i wella wedi iddi gael ei chnoi gan y siarc oedd Freyja. Drwy feddyginiaethau'r Ni, a'r bara pydredig roedd Gwenda wedi bod yn ei osod ar y clwyf ers tridiau, roedd Freyja'n cryfhau o flaen eu llygaid. Ond gan nad oedd ganddi unrhyw fwriad o fynd i hela am ychydig eto, doedd hi heb fod yn agos at y storfa arfau.

Astudiodd Freyja y saeth pan ddaeth rhai o'r Ni â Lal yn ôl o'r caeau, a'i hysgwydd yn gwaedu. Yn ffodus, doedd e ddim yn glwyf dwfn, ond gwnaeth Gwenda iddi eistedd yn y gegin, lle roedd gwely Freyja wedi bod, iddi gael golchi'r gwaed cyn gosod peth o'r bara pydredig arno rhag i'r cwt droi'n heintus.

'Fe ddylai fod yn iawn,' barnodd.

Daeth Olaf a Cai i mewn i'r gegin.

'Ma hyn wedi mynd yn rhy bell,' meddai Olaf wrth Gwenda. 'Fe fydd rhaid inni'i ddal e.'

'A beth wedyn?' holodd Gwenda'n ddiflas.

Galwyd am Wotsi: os oedd rhywun yn deall meddwl Bwmbwm, mae'n debyg mai fe oedd yn dod agosaf at hynny, er nad oedd e wedi dangos llawer o amynedd tuag at ei gynfòs ers iddo'i berswadio i ddwyn y ceffylau.

Rhwbiodd Wotsi ei wyneb â'i ddwylo llychlyd a fu'n cario cerrig ar gyfer y morglawdd drwy'r bore. Anadlodd yn ddwfn. Roedd hi'n anodd gwybod beth i'w wneud â Bwmbwm.

'Fe allen ni dreulio dyddiau'n chwilio amdano, a be wedyn?' holodd Cai.

Awgrymodd Wotsi y gallen nhw ei dagu. Synnodd Cai pan welodd na ddadleuodd Gwenda'n syth fel roedd e'n disgwyl iddi ei wneud. Sylweddolodd pa mor anodd iddi hi oedd dewis rhwng dyfodol Bwmbwm a dyfodol pawb arall.

'Is e gwallgo,' meddai Wotsi. 'Bad bad, mad mad.' Ysgydwodd ei ben yn ddiobaith.

'Ma'r gegin 'ma wedi troi'n ysbyty,' meddai Freyja. 'Os yw Bwmbwm wedi dechre saethu at bawb, fe fydd raid i ni droi'r tŷ cyfan yn ysbyty.'

Ceisiai swnio'n ysgafn, ond doedd neb mewn hwyliau i chwerthin. Doedd dim dal beth a wnâi Bwmbwm nesaf.

'Fe a' i ac Olaf i chwilio amdano,' meddai Cai, a gwthio ei gyllell i'w lopan. 'Awn ni heibio'r storfa i weld be sy ar ôl.'

'Wnewch chi mo'i ladd e…?' holodd Gwenda.

Edrychodd Cai ac Olaf ar ei gilydd. 'Fe ddaliwn ni fe. I bawb ga'l cysgu'n dawel.'

Aeth y ddau allan ac i gyfeiriad y storfa arfau, lle dewisodd Olaf fwa a saeth go dila yr olwg o blith yr hyn a oedd yn weddill yno.

'Well gen i gadw 'nwylo'n rhydd,' meddai Cai.

'Rhyngot ti a dy dduw,' meddai Olaf. 'Ond paid â disgwyl i fi dy ga'l di allan o bicil!'

Wrth i'r ddau gamu allan o'r storfa, daeth Gwenda i'w cyfarfod a'i gwynt yn ei dwrn.

'Ma Pega a Miff wedi'i weld e, yn mynd lan i ben Consti. Fe driodd e saethu rhai o'r gweithwyr ar y morglawdd, ond lwyddodd e ddim.'

'Dere!' galwodd Cai ar Olaf, a oedd yn bustachu i roi trefn ar y bwa a'r saethau ar ei ysgwydd.

*

Yn nesu at y copa roedd Bwmbwm, ac yn amlwg ar goll yn ei feddyliau ei hun, neu fe fyddai wedi sylwi bod dau yn ei ddilyn. Gwnaeth Cai arwydd ar Olaf i gadw'n ôl, rhag i Bwmbwm droi'n sydyn a'u gweld, ac anelu saeth tuag atyn nhw. Ceisiodd weld sawl saeth oedd yn weddill gan Bwmbwm.

Anadlai'r Niad yn ddwfn, wedi llwyr ymlâdd ar ôl dringo'r bryncyn, a hanner siaradai ag ef ei hun. Gallai Cai glywed ei rwystredigaeth er na ddeallai fawr ddim ar y llith. Damiai bawb a phopeth, a'i anffawd ef ei hun yn colli ei rym, ei deyrnas, ei gi, ei blas. Bron na chriai gan rwystredigaeth.

'Dam dam dam, is dam, is trw,' bytheiriai wrtho'i hun.

Byddai'n aros ar ganol cerdded, a throi i edrych yn ôl ar y dre lle roedd e'n teimlo'i fod e wedi'i wrthod, a chyfeirio ffrwd arall o felltithion i'w chyfeiriad, cyn troi a bwrw ati eto i ben y bryn.

'Aros di o'r golwg fan hyn,' sibrydodd Cai wrth Olaf wrth gyrraedd y copa, lle roedd y tyfiant yn fwy prin. Pwyntiodd at lwyn eithin a allai eu cuddio.

'A ti?' holodd Olaf.

'Dwi am siarad ag e,' meddai Cai. 'Ceisio'i gael e i weld synnwyr.'

'Ti'n gall?' chwythodd Olaf drwy ei ddannedd.

'Gei di gadw llygad o fan hyn,' meddai Cai yn lle ateb, ac aeth yn ei flaen yn gyflym, nes ei fod o fewn rhai llathenni i Bwmbwm. Arhosodd.

'Bwmbwm!' galwodd yn uchel.

Gwelodd Bwmbwm yn dychryn wrth atal ei gam ar unwaith. Gwelodd ef yn estyn am saeth o'r cwdyn ar ei gefn cyn troi.

'Bwmbwm, eisie siarad!' galwodd Cai.

Trodd Bwmbwm a gweld Cai yn sefyll yn agos ato. Gallai Cai weld ei fod e'n methu deall o ble daeth yr Ynyswr mor sydyn, pam na sylwodd ei fod e'n cael ei ddilyn.

'Siarad,' meddai Cai eto gan godi ei freichiau i ddangos nad oedd e'n cario arfau.

Gobeithiai fod digon o Gymraeg gan y Niad i ddeall ei neges. Ni allai ond parhau i siarad gymaint ag y gallai gan obeithio bod rhywrai o'r geiriau'n glanio ar dir âr, digon i wneud i Bwmbwm bwyllo cyn ei saethu. Fel arall, fe âi i'w aped yn siarad.

'Drycha,' mentrodd Cai. 'Dwi eisie i ti ddod lawr gyda fi, 'nôl i'r dre, at bawb, a dwi eisie i ti siarad gyda ni, gweud be sy'n dy boeni di. Dwi'n deall, Bwmbwm,' dechreuodd wedyn. 'Dwi'n deall pa mor anodd yw hi arnat ti. Is no hawdd, is trw,' ymdrechodd. 'Gweld popeth yn diflannu o flaen dy lyged di. Gweld pethe'n newid, colli dy bethe...'

'Is trw!' gwaeddodd Bwmbwm. 'Chi nath! Chi spoil it-ôl! It-ôl is gwd cyn chi, is trw!'

Cofiodd Cai yn sydyn mai tad Anil oedd hwn. Doedd honno ddim yn ffaith a fyddai'n ei daro'n aml, er ei fod e'n cael ei ddal ar hanner cam weithiau, yn rhyfeddu at odrwydd bywyd.

Er bod ei ddwylo'n crynu, roedd Bwmbwm wedi llwyddo i osod y saeth yn ei lle yn y bwa.

'Dwi'n deall beth yw colli popeth sy'n annwyl i ti, popeth ti'n caru, Bwmbwm! Dwi'n deall, achos mae e wedi digwydd i fi hefyd. Dwi hefyd wedi colli'r peth o'n i'n caru fwya yn y byd, y *person* o'n i'n caru fwya yn y byd!'

Doedd e ddim wedi codi'r bwa eto, ond doedd e ddim wedi rhyddhau ei afael ar ei saeth chwaith.

'Ti'n cofio Anil, Bwmbwm... dy blentyn di?'

Roedd e'n mentro, fe wyddai hynny, ond cofiai fod Bwmbwm wedi dangos rhyw arlliw o ddiolch iddyn nhw, iddo ef ac i Gwawr ac Anil, am achub ei fywyd yn y tân a losgodd y plas. Ac er na fu'n unrhyw fath o dad erioed, efallai y byddai ei atgoffa bod Anil yn dal yn fyw yn ddigon i symud ei feddwl am rai eiliadau.

Achos *roedd* Anil yn dal yn fyw, sylweddolodd Cai. Roedd e wedi ceisio meddwl fel arall er mwyn gweld diwedd ar y boen yn ei galon rywdro, er mwyn gallu symud ymlaen. Ond doedd e ddim yn meddwl o ddifri fod Anil wedi marw, doedd e ddim yn gallu meddwl hynny. A phan ddaeth yr awyren yn ei hôl, er iddyn nhw gipio Gwawr, roedd gobaith wedi'i lenwi fel cyffur yn llifo drwyddo.

'Anil, dy blentyn di… Ti'n cofio?'

Camodd Cai yn ei flaen, ond stopiodd wrth weld Bwmbwm yn camu wysg ei gefn, a'i afael yn dal yn dynn yng nghortyn y bwa.

'Is no trw, is marw, is marw as is ôl ma Bwmbwm yn gwffwr!'

'Na, dyw hynna ddim yn wir, Bwmbwm.'

Cofiodd Cai am y dyn bychan hwn a oedd mor llawn ohono'i hun pan welodd ef am y tro cyntaf yn y plas, mor barod i gael ei ganmol ac i ennyn cymeradwyaeth ei bobl.

'Is trw, is trw!' Cododd Bwmbwm ei lais a chamu'n ôl eto.

Rhaid oedd ei stopio.

'Bwmbwm, plis!' erfyniodd arno. 'Aros, dere lawr gyda ni. Gad i ni siarad. Ma popeth yn edrych yn well drwy siarad.'

'Goawê, goawê!' gwaeddodd Bwmbwm a chodi'r bwa at ei lygaid a thynnu'n ôl.

Yr eiliad nesaf, roedd saeth yn hedfan drwy'r awyr yn uwch na phen Cai o gyfeiriad y llwyn eithin lle cuddiai Olaf. Hedfanodd o fewn modfeddi i glust Bwmbwm cyn parhau ar ei thaith tuag at y môr dros ochr y clogwyn y tu ôl i Bwmbwm, ond dychrynodd ddigon ar y Niad i wneud iddo golli ei reolaeth ar ei fwa. Yn lle anelu'n syth am Cai, glaniodd y saeth hanner ffordd rhyngddyn nhw, ar ongl gul yn y pridd tenau.

Camodd Cai ymlaen i afael yn Bwmbwm, ond camodd hwnnw'n ôl hanner dwsin o gamau wysg ei gefn. Stopiodd Cai ar unwaith.

'Bwmbwm! Cymer ofal!' gwaeddodd. 'Ma'r dibyn tu ôl i ti!'

Chwarddodd Bwmbwm fel pe na bai'n ei gredu, ac estynnodd am saeth arall o'r gawell saethau ar ei gefn. Gwyliodd Cai e'n ei gosod yn ei lle rhwng ei fysedd ar y bwa, a cheisiodd ei orau i feddwl beth y gallai ei ddweud i'w gael i ddod i lawr at y lleill, i siarad, i geisio dod yn rhywun gwell na'r hyn roedd e yr eiliad honno.

'Beth am i ti ddofi un o'r cŵn?' awgrymodd. 'Fel 'nest ti o'r blaen, ti'n feistr ar ddofi cŵn. Gei di ddewis ci!'

'Cer! Cer! Is mi shŵt!'

Cododd Bwmbwm y bwa eto ac anelu'r saeth i'w gyfeiriad. Doedd ei feddwl dryslyd ddim fel pe bai'n sylweddoli nad Cai saethodd y saeth gyntaf tuag ato, er nad oedd arf o gwbl i'w weld yn nwylo Cai.

Yr eiliad nesaf, roedd saeth arall yn hedfan drwy'r awyr, a'r tro hwn, fe grafodd fraich Bwmbwm cyn glanio ar y creigiau a disgyn i'r môr. Bu'n ddigon i ddychryn Bwmbwm, a baglodd wysg ei gefn eto.

'Stopia!' gwaeddodd Cai.

Rhaid bod Olaf yn benderfynol o'i saethu. Ond yn lle Olaf, gwelodd Cai Wotsi'n ymddangos wrth ei ochr, yn bwydo saeth arall i'r bwa rhwng ei fysedd. Wotsi oedd wedi achub ei fywyd y tro hwn, nid Olaf. Os dôi allan o hyn yn fyw, roedd ganddo waith diolch i bobl am achub ei fywyd.

'Paid â'i saethu fe!' sibrydodd Cai wrth Wotsi o dan ei wynt. 'Fe ddaw e gyda ni yn y diwedd, ond i ni ddal i siarad!'

'Is trw?' holodd Wotsi yn amheus.

Yna, gwelodd Cai aderyn yn nesu o bell, bell, yr ochr draw i ysgwydd Bwmbwm.

Gafaelai'r Niad yn ei fraich, ond roedd hi'n amlwg nad oedd e'n sgraffiniad dwfn, gan nad oedd fawr ddim gwaed i'w weld. Prin gyffwrdd a wnaeth y saeth, mae'n rhaid.

Meddyliodd Cai y gallai ofyn i Wotsi ai'n fwriadol y gwnaeth e hynny, ond ddaeth e ddim i ben â gwneud, gan fod yr aderyn ym mhen draw'r môr yn tyfu a thyfu o hyd. Anelai'n syth amdanyn nhw. Llyncodd Cai'n galed. A allai fentro meddwl…?

'Bwmbwm!' Ceisiodd gael trefn ar ei feddyliau. 'Ti'n rhy agos i'r dibyn!'

'Ti ddim sei mi wot tw-dw.'

Ie, awyren oedd hi! Yr un un, yr un ddu. Roedd Wotsi wedi ei gweld hi hefyd, a daeth Cai'n ymwybodol fod Olaf yn sefyll gyda nhw bellach, yn gwylio'r awyren.

Doedd Bwmbwm ddim am lyncu dim o'u celwyddau, er bod y tri ohonyn nhw'n sefyll o'i flaen wedi codi eu pennau i astudio'r awyr. Roedd llaw dau ohonyn nhw'n barod ar eu bwâu, yn barod i'w saethu, ond doedden nhw ddim wedi'u hanelu ato, am fod y ddau, y tri, yn mynnu ceisio chwarae rhyw gêm drwy dynnu ei sylw wrth esgus bach bod rhywbeth yn nesu drwy'r awyr. Roedden nhw'n gwybod yn iawn mai fe welodd yr aderyn mawr du y tro diwethaf pan lyncodd yr aderyn y ferch swnllyd 'na. A nawr, roedden nhw'n meddwl ei fod e'n ddigon dwl i gredu twyll mor dwp!

Nesu, nesu o ben arall y byd, meddyliodd Cai, a doedd e ddim am gael ei adael ar ôl y tro hwn. Roedd e am iddyn nhw fynd ag e gyda nhw. Cododd ei law i'r awyr yn y gobaith y byddai'r peiriant mawr yn sylwi arno. Fi, y tro hwn, plis! Fi, fi, fi!

A chlywodd y floedd pan ddisgynnodd Bwmbwm dros ochr y dibyn. Roedd wedi camu'n ôl mor bell, a'r awyren wedi bwrw ei chysgod drosto ac wedi ei ddychryn, nes iddo golli pob rheolaeth ar ei goesau, reit ar ymyl y dibyn...

Pe bai wedi dal i weiddi, meddyliodd Cai, cyn i gorff Bwmbwm daro'r creigiau ac yna'r tywod ar y gwaelod, pe bai e wedi dal i rybuddio Bwmbwm rhag cwympo dros ymyl y dibyn, yn lle cael ei ddenu i wylio'r awyren, efallai y byddai Bwmbwm yn dal yn fyw.

Rhewodd. Ac yna sylweddolodd fod yr awyren wedi mynd yn ei blaen i lanio yn yr un man ag arfer, yn bell o ben Consti.

Rhedodd Cai, rhedodd nerth ei draed i lawr y bryn i'r dref, ac Olaf wrth ei sawdl.

*

Roedden nhw'n gwybod cyn cyrraedd pen Rhiw Penglais nad oedd ganddyn nhw obaith o'i chyrraedd mewn pryd. Wrth redeg i lawr Rhiw Siôn Sa'r, a'u traed yn gwingo dan y boen o lanio mor galed ar y cerigach a frithai'r llwybr, gwelodd Cai yr awyren yn codi drachefn o'r tir gwastad rhwng safle'r hen blas a'r dref.

'Rhoswch!' gwaeddodd, a dechrau chwifio'i freichiau uwch ei ben fel ynfytyn. Gwnaeth Olaf yr un fath, gan redeg yn ei flaen, a gweiddi ar yr awyren: 'Peidiwch mynd! Rhoswch! Plis na! Plis arhoswch!'

Rhaid bod y peilot yn eu gweld. Pam na allai ddeall eu bod nhw eisiau siarad? Pwy oedden nhw wedi'i gipio y tro hwn? A oedd rhywun yn y caeau bellach, ers i Lal ddychwelyd oddi yno a'i hysgwydd yn gwaedu?

Pam na welen nhw eu bod nhw eisiau siarad? Roedd *rhaid* iddyn nhw siarad! Gofyn am Gwawr, gofyn am Anil, ble roedden nhw? Pryd caen nhw ddychwelyd? A'r cyfan wnaeth yr awyren oedd glanio, a chodi eto, a mynd.

Am faint y tro hwn? Diflannodd yr awyren, a stopiodd Cai ac Olaf redeg, y ddau'n chwys drabŵd, ac yn anadlu'n drwm, heb owns o egni ar ôl yn eu cyrff. Edrychodd y ddau ar ei gilydd.

'Beth y'n ni'n mynd i neud?' gofynnodd Olaf i Cai.

Ysgydwodd Cai ei ben: doedd ganddo ddim syniad. Teimlai'n waeth na phan aeth Anil gyntaf.

'Beth y'n ni'n mynd i neud?' holodd Olaf eto, a rhoi ei law drwy ei wallt, yn methu byw yn ei groen.

Ac yna, gwelodd Cai nhw, yn cerdded tuag ato ar waelod

y rhiw. Tri ffigur, dau a adwaenai'n dda, ac un arall, dynes ddieithr.

'Olaf...' meddai, bron yn ofni ymddiried yn y gwirionedd roedd ei lygaid yn ei ddangos iddo, bron yn rhy wan i gredu y gallai pethau newid iddo. Doedd Olaf ddim wedi eu gweld. Ai ei lygaid oedd yn chwarae'r tric gwaethaf un arno?

'Olaf!' meddai wedyn, sibrydiad.

A throdd Olaf ei ben a'u gweld.

Roedden nhw'n dringo'r rhiw, yn nesu, a bellach yn eu gweld nhw ill dau, ac wedi eu hadnabod. Rhedodd Gwawr, a chyflymodd Anil ei gamre.

'Dere, Anil, dere!'

Oedodd Anil am eiliad wrth ddod o fewn deg cam i Cai, ond roedd Cai wedi rhedeg tuag ato ar unwaith ac wedi cau ei freichiau'n dynn amdano.

Trodd Gwawr at Mira: 'Cai yw hwn,' meddai am Cai, a throdd at Olaf. 'Ac Olaf yw hwn.'

Am eiliad yn unig, oedodd Olaf, yn ansicr ohono'i hun am unwaith yn ei fywyd. Ond yr eiliad nesaf, roedd e wedi rhoi ei freichiau am Gwawr, yn tyngu wrthi na fyddai byth yn gadael fynd.

Gwenodd Gwawr wrth sylweddoli, gyda chyffyrddiad bach o syndod, pa mor hapus oedd hi o'i glywed yn dweud hynny.

EPILOG

Cododd Gwawr ei phen at yr haul a oedd yn prysur anelu am y bàth beunosol. Dyma ei hoff amser o'r dydd, a'i hoff amser o'r flwyddyn. Dechrau mis Medi, pan oedd y dyddiau'n dechrau tynnu at ei gilydd, ond heb eto droi'n oer fel y gwnâi ar rai dyddiau yn ystod y gaeaf: nid oer fel oer yr Ynys, ond oer gwisgo haenen ychwanegol o ddillad, neu ddwy weithiau. Ond doedd yr haul ddim yn grasboeth fel y gallai fod dros fisoedd canol haf, a doedd hi ddim mor debygol o lawio'n drwm fel y gwnâi pan dorrai'r tywydd ganol haf, neu pan oedd y gaeaf ar ei anterth. Go brin y gwelai eira yng Nghymru. Perthyn i oes a fu a wnâi eira iddi bellach.

Gwelsai ddigonedd ohono pan aeth yn ôl ar ymweliad â'r Ynys yn ystod y gwanwyn er hynny. Un o'r pethau a addawodd Cyngor Newydd Afallon iddi cyn iddi adael y lle oedd y caen nhw gludiant i'r Ynys ar awyren wedi i'r drefn newydd yno gael ei thraed tani. Cafodd yr arfer o ffermio wyau ei wneud yn anghyfreithlon: roedd digonedd o wyau ganddyn nhw wedi'u storio am rai blynyddoedd beth bynnag. Addawyd mai gwirfoddol fyddai unrhyw roddion o wyau o hynny ymlaen, mater o deithio i rannau o'r byd lle roedd pobl yn ailymdrechu i adeiladu gwareiddiad, a threfnu clinigau yno i fynd ag wyau'n rhoddion, nid yn orfodaeth. Addawodd Gwawr gyfrannu pan ddôi'r awyren heibio nesaf, yn gyfnewid am daith i'r Ynys, hi ac Olaf, Cai ac Anil, Freyja a Gwenda.

Pan ddaeth yr awyren yn y gwanwyn, ni allodd gyfrannu serch hynny, gan fod un o'i hwyau hi bellach wedi troi'n lwmpyn anferth yn ei stumog, lwmpyn y daeth i'w alw'n Ceredig pan gafodd ei eni rai misoedd yn ddiweddarach. Llygaid Gwawr oedd ganddo, ond roedd ei wên yn debyg iawn i wên Olaf. Bu'n rhaid i Gwawr roi gwybod i Sira, a oedd wedi dod draw yn rhinwedd ei swydd, na allai gyfrannu y tro hwn. Digon tawedog oedd Sira tra bu Gwawr yn egluro wrthi ei bod hi'n feichiog. Nid Sira fel oedd hi pan gyfarfu â hi gyntaf o gwbl, ac roedd hi'n amlwg yn dioddef dos go drwm o gywilydd.

Daliai Gwawr i ryfeddu at y ffordd y llwyddodd Afallon i'w llyncu hithau hefyd cyn iddi glywed y gwir gan Mira ac Anil, y ffordd y cafodd ei chyfareddu gan hyfrydwch ymddangosiadol y lle. Pethau felly ydyn ni, meddyliodd droeon wedyn, hawdd iawn ein prynu.

Cafodd sawl un o hen weithwyr y Llyw faddeuant, a'u hailhyfforddi i barchu pob aelod o gymdeithas Afallon yn gydradd. Roedd ganddyn nhw ffordd bell i fynd i unioni sawl cam, ond roedden nhw'n amlwg yn rhoi cynnig arni. Claddwyd y Llyw, a chladdwyd llawer o'i ormes gydag e. Dros y flwyddyn a aeth heibio, dysgodd trwch y boblogaeth faddau i'r lleiafrif a oedd wedi'i gynnal lle roedd e drwy gymaint o dwyll – ei wyddonwyr a'r Chwilod ufudd, y Siras a'r Rasis oll. Bellach, roedden nhw'n anelu at fod ar y trywydd cywir.

Doedd dim dal beth ddôi ohonyn nhw, er bod gobaith yn donic cryf.

Does dim dal be ddaw ohonon ni chwaith, meddyliodd Gwawr, gan wasgu Ceredig bach yn dynnach at ei bron. Roedd e'n dri mis oed ac yn iach fel cneuen. Byddai Gwawr wedi dwli pe bai ei mam-gu wedi cael byw i'w weld, ond roedd hi wedi gadael y byd hwn yn fuan iawn ar ôl i Gwawr adael am Gymru.

'Fe fuodd hi farw'n ddynes fodlon,' meddai ei mam wrthi, wrth ei chysuro yn ei breichiau, a Gwawr yn torri ei chalon. 'Does dim llawer mwy na hynny y gallwn ni obeithio amdano mewn bywyd.'

A gwyddai Gwawr fod ei mam yn llygad ei lle, fel roedd hi am gymaint o bethau eraill.

Gwenodd wrth feddwl amdani nawr, yn annerch y Cyngor, ac yn trefnu cymaint o'u bywyd bob dydd. Wnaeth hi ddim oedi cyn neidio ar y cyfle i ddod i Gymru gyda nhw ar yr awyren. Ei mam a Lleu, ei brawd. Fe ddôi cyfle iddyn nhw ddychwelyd i'r Ynys eto pan ddôi'r awyren heibio eto o Afallon. Ond am y tro, roedden nhw yma, yng nghanol pethau – Lleu yn llefnyn tal a chryf a helpai gyda'r gwaith llaw, a'i mam yn rhoi cymaint o synnwyr i bopeth. Roedd hi a Gwenda'n arweinwyr heb eu hail.

Draw yn y pellter gallai weld Anil a Cai yn sgwrsio ar gornel y stryd a arweiniai at eu cartrefi. Prin y gellid gwthio blewyn rhyngddyn nhw ers i Anil ddychwelyd. A doedd neb mor annwyl â Cai wrth Mira chwaith, yn gofalu amdani, a gwneud yn siŵr nad oedd eisiau dim arni.

Yn ôl ar yr Ynys, dangosodd Cai i Anil lle roedd e a Gwawr yn arfer chwarae, ac aeth Gwawr ac yntau ag Anil heibio i Morten er mwyn iddo glywed y straeon Norwyaidd a lifai'n un stribyn o enau ei dad-cu o hyd. Aeth y tri i'r ogof er mwyn i Anil gael clywed Gwawr a Cai yn gweiddi GwawraCai a CaiaGwawr nes bod y lle'n diasbedain drwyddo â'u lleisiau.

Didaro braidd oedd ymateb Anil pan gyrhaeddon nhw Gymru i glywed am farwolaeth ei dad, a thrawodd hynny Gwawr yn od, o ystyried mai ymddangosiad yr awyren a'u cariodd yn ôl i Gymru a wnaeth i Bwmbwm gwympo dros ochr y dibyn yn y diwedd. Un o'r cyd-ddigwyddiadau – neu lai na hynny, cwirciau – sy'n llenwi bywyd: cwarciau a chwirciau, ystyriodd Gwawr yn smala.

Ond fe'i synnwyd rai wythnosau wedyn pan ddywedodd Mira wrthi ei bod hi wedi gweld Anil yn anelu i ben Bryn Bwmbwm, fel yr ailenwyd Consti, â bwnsiaid o flodau gwyllt yn ei law. Doedd dim amheuaeth ganddi nad mynd â nhw i'w taflu i'r fan lle cwympodd Bwmbwm oedd e, er na ofynnodd Mira iddo. Pethau i'w bwyta oedd blodau i Bwmbwm, gwenodd Gwawr wrthi ei hun, a defod yn air dieithr iawn iddo.

Cwarciau a chwirciau a chariad. Anwesodd foch ei mab yn dyner. Feddyliodd hi erioed y byddai'n teimlo fel hyn at neb.

'Ti!' Clywodd lais yn galw arni o'r cyfeiriad arall, a doedd dim rhaid iddi godi ei phen i edrych. Gwenodd wrth syllu ar wyneb ei mab. 'Dwi 'di bod yn chwilio amdanat ti,' nesaodd y llais ar draws y traeth tuag ati.

Rhoddodd Olaf ei fraich amdani.

'Norwyad hyd ewinedd ei draed!' meddai wrthi, yn gwybod yn iawn sut i wneud iddi wylltio. 'Edrych ar y gwallt golau 'na, yn union fel gwallt fy nhad!'

'Mwlsyn,' meddai Gwawr wrtho, ac estyn Ceredig i'w freichiau wrth i'r babi ddechrau achwyn. 'Dy dro di,' meddai.

Cymerodd Olaf y bwndel gan esgus gwaredu: 'Beth wna i? Ti yw'r ffatri laeth!'

Cododd Gwawr a gadael iddo fwydro pen Ceredig druan. Clywai ei lais yn pellhau wrth iddi gerdded ar hyd y traeth, yn canmol ei achau Norwyaidd ac esgus lladd ar ei rhai Cymreig hithau.

Rhyfedd sut mae pethau'n eich taro ar eich trwyn weithiau, heb i chi eu gweld nhw'n dod o gwbwl, meddyliodd Gwawr. Felly roedd ei chariad at Olaf wedi dod iddi: fel sylweddoliad a lechai yng nghefn ei meddwl heb iddi wybod ei fod yno. A'r eiliad y gwelodd hi Olaf ar dir Cymru wedi iddi ddychwelyd o Afallon, fe wyddai. Fe wyddai mai gydag e roedd hi am dreulio gweddill ei hoes. Gorau oll os oedd Cai yno hefyd, ac Anil, y ddau ohonyn nhw'n un elfen bellach. Ond Olaf oedd y cariad na wyddai ei fod e'n byw yn ei chalon tan iddi ddod mor agos at ei golli.

Fam Un, meddyliodd wedyn, diolch i ti am ein gwneud ni. Am roi bod i ni. I mi, i Ceredig. Diolch i ti am fy arwain i yma, i fod yn Fam Chwech adre yng Nghymru.

Byseddodd y garreg yn ei phoced fel y gwnaethai dros yr holl amser y bu ganddi, a chofiodd sut y gwelodd ei cholli yn Afallon, yr Afallon nad oedd yn unrhyw fath o Afallon ar ôl pilio'r haen gelwyddog o golur a lechai ar ei hwyneb.

Hon oedd Afallon. Ei Chymru hi. A Chymru Ceredig, a'r ddau blentyn arall a aned i'r Ni eleni, a'r llond llaw arall a oedd yn disgwyl rhagor o deulu, gan gynnwys Freyja a Wotsi.

Fe wyddai Mam Un mai yn ôl y doen ni, meddyliodd Gwawr wrth edrych eto ar y neges ar y garreg yn ei llaw. *Pob hwyl ar dy antur fawr.*

Roedd y byd eisoes yn lleihau unwaith eto, a phobl yr Afallon Newydd yn barod i rannu'r dechnoleg a feddai arni â gweddill pobl y byd, y llwythau bach a oedd yn weddill, fel blodau prin ar ddaear yr oedd cymaint ohoni'n dal i fod yn anghyfannedd. Technoleg a weithiai gyda'r ddaear oedd hi y tro hwn, nid un a'i rheibiai'n barhaol, a châi'r llwythau bach lonydd i fodoli, llonydd i fwrw gwraidd.

Dyna roedd hi am ei wneud yma, gydag Olaf a Cheredig, a phwy bynnag arall a ddôi i'w teulu, i'w byd. Bwrw gwraidd, ailhadu. Creu o'r newydd, gyda'r hen olion – hen lyfrau, hen wybodaeth, hen wareiddiad a hen iaith.

Plygodd Gwawr hanner ffordd i fyny'r traeth.

'Diolch, Mam Un,' meddai wrth yr awel. Rhoddodd y garreg i orwedd ynghanol y cerrig eraill.

Sythodd eto, ac edrych allan ar y môr. A theimlodd freichiau amdani fel pe bai'r wlad ei hun, y tir, ei llais yn ei phen, ei geiriau, ei llenyddiaeth, yn ei chymryd i'w mynwes. Gallai glywed Ceredig yn hanner llefain eisiau sugno draw gydag Olaf, ac Olaf yn siarad dwli hyfryd gydag e, ond oedodd am eiliad i deimlo cynhesrwydd yr hapusrwydd a chwyddai ynddi. Yma nawr, meddyliodd. Dyma adre.

Fe fyddwn ni'n iawn.

Nofel 1 trioleg YMA:

'Dwi'n mynd i Gymru. Ti'n dod gyda fi?'

YMA:
YR YNYS

LLEUCU ROBERTS

yr Lolfa

£5.99

Nofel 2 trioleg YMA:

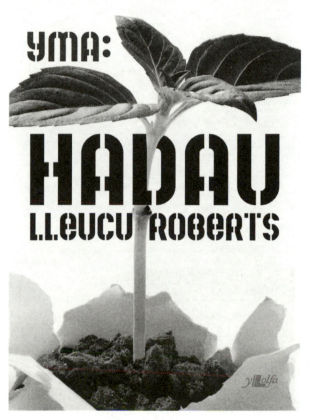

£6.99

Am restr gyflawn o lyfrau'r Lolfa, mynnwch
gopi am ddim o'n catalog
neu hwyliwch i mewn i'n gwefan

www.ylolfa.com

lle gallwch archebu llyfrau ar-lein.

TALYBONT CEREDIGION CYMRU SY24 5HE
ebost ylolfa@ylolfa.com
gwefan www.ylolfa.com
ffôn 01970 832 304
ffacs 832 782

Holwch am bris argraffu!
01970 832 304